KB193728

慈悲道場懺法

耘虛 龍夏 譯

자비도량참법 제1권 · 제2권

찍은날 | 불기 2565년(서기2021년) 4월 4일

펴낸날 | 불기 2565년(서기2021년) 4월 18일

엮은이 | 운허 용하

펴낸이 | 김지숙

펴낸곳 | 북도드리

등록번호 | 제 2017-88호

전화 | 02) 868-3018

팩스 | 02) 868-3019

주소 | 서울 금천구 가산디지털 2로 98, B212(가산동, 롯데IT캐슬)

전자우편 | bookakdma@naver.com

I S B N | 979-11-964777-2-1 (14220)

I S B N | 979-11-964777-1-4 (전5권)

값 22,000원(전5권 1세트)

| 잘못된 책은 바꾸어드립니다.

| 법공양하실 분, 특별주문, 불교관련 서적 출판해드립니다.

이 도서의 국립중앙도서관 출판예정도서목록(CIP)은 서지정보유통지원시스템 홈페이지(http://seoji.nl.go.kr)와 국가자료종합목록시스템(http://www.nl.go.kr/kolisnet)에서 이용하실 수 있습니다. (CIP제어번호 : CIP2019002210)

慈悲道場懺法

耘虛 龍夏 譯

제1권 / 제2권

차 례

자비도량참법 전

慈悲道場懺傳

이 참법은 양무제梁武帝가 황후 치郗 씨를 위하여 편집한 것이다. 치 씨가 죽은 후 수삭(수개월)이 되도록 무제가 항상 치 씨를 생각하고 슬퍼하여 낮에는 일이 손에 잡히지 않고, 밤에는 잠을 이루지 못하였다.

어느 날 양무제가 침전寢殿에 있노라니, 밖에서 이상한 소리가 들렸다. 내다보니 큰 구렁이가 전상으로 올라오는데, 빨건 눈과 날름거리는 입으로 무제를 바라보고 있지 아니한가. 무제가 크게 놀랐으나 도망할 수도 없었다. 할 수 없이 벌떡 일어나 구렁이를 보고 말하였다.

"짐의 궁전이 엄숙하여 너 같은 뱀이 생길 수 없는 곳인

데, 반드시 요망한 물건이 짐을 해하려는 것일 지로다."

구렁이가 사람의 말로 임금께 여쭈었다.

"저는 옛날의 치 씨올시다. 신첩이 살았을 적에 6궁들을 질투하며 성품이 혹독하여, 한 번 성을 내면 불이 일어나는 듯, 활로 쏘는 듯, 물건을 부수고 사람을 해하였더니, 죽은 뒤에 그 죄보로 구렁이가 되었습니다. 입에 넣을 음식도 없고, 몸을 감출 구멍도 없으며, 주리고 곤궁하여 스스로 살아갈 수가 없습니다.

그리고 또, 비늘 밑마다 많은 벌레가 있어 살을 빨아먹으니 아프고 괴롭기가 송곳으로 찌르는 듯합니다. 구렁이는 보통 뱀이 아니므로 변화하여 왔사오니 궁궐이 아무리 깊더라도 장애가 되지 아니하옵니다. 예전에 폐하의 총애하시던 은혜에 감격하여 이 누추한 몸으로 폐하의 어전에 나타나 간청하오니, 무슨 공덕이든 지어서 제도하여 주시옵소서."

무제가 듣고 흐느껴 감개하더니, 이윽고 구렁이를 찾았으나 보이지 아니하였다.

이튿날 무제는 스님들을 궁궐 뜰에 모아놓고 그 사실을 말하고, 가장 좋은 계책을 물어 그 고통을 구제하려 하였다.

지공誌公 스님이 대답하였다.
"모름지기 부처님께 예배하면서 참법懺法을 정성스럽게 행해야 옳을까합니다."

무제는 그 말을 옳게 여기고, 여러 불경을 열람하여 명호를 기록하고, 겸하여 생각을 펴서 참회문을 지으니, 모두 10권인데 부처님의 말씀을 찾아서 번거로운 것은 덜어버리고 참법을 만들어 예참하였다.

어느 날, 궁전에 향기가 진동하면서 점점 주위가 아름다워지는데 그 연유를 알지 못하더니, 무제가 우러러 보니 한 천인이 있었다. 그는 용모가 단정하였다.

무제에게 말하기를,

"저는 구렁이의 후신이옵니다. 폐하의 공덕을 입사와 이미 도리천에 왕생하였사오며, 이제 본신을 나타내어 영험을 보이나이다."

그리고 은근하게 사례하고는 마침내 보이지 않았다.

양나라 때부터 오늘까지 천여 년 동안 이 참회 본을 얻어 지성으로 예참하면, 원하는 것은 모두 감응이 있었다. 혹시 그런 사실이 감추어지고 없어질까 두려워 대강 기록하여 여러 사람들께 알리는 바이다.

정단찬

淨壇讚

버들가지 청정한 물
3천세계에 두루 뿌려
8공덕수 공空한 성품,
인간 천상 이익 하니

아귀들은 고통 벗어나
죄와 허물 소멸하고
불길 변해 연꽃 피네.
나무 청량지보살마하살 淸凉地菩薩摩訶薩(3번)

광명진언 光名眞言

옴 아모가 바이로 차나 마하 무드라 마니 파드마 즈바라

프라바릇타야 훔(21번)

아미타불 종자진언 阿彌陀佛種子進言

옴 즈바라 다르마 흐릭(108번)

관자재보살 미묘본심 육자대명왕 다라니
觀自在菩薩 微妙本心 六字大明王 陀羅尼

옴 마니 파 드메 훔(108번)

삼보찬

三寶讚

부처님 찬탄 그지없어
무량겁에 공을 이루시니
우뚝하신 자금紫金빛 장육 금신이여,
설산雪山에서도 도를 이루시니
미간의 백옥호白玉毫 찬란하신 빛
육도六途의 어둠을 비추시나니
용화회상龍華會上에서 서로 만나
참된 법문 연설하오리.
나무 불타야佛陀耶

가르치신 법보 한량이 없어
부처님의 금구金口로 말씀하신 것

용궁해장龍宮海藏에 하늘 향 흩으며
깨달은 이 경전을 외우나니
훌륭한 책, 좋은 종이에 금으로 쓴 글자
가을 기러기 항렬을 짓듯
옛날의 삼장법사가 가져온 것
만고萬古에 길이길이 드날리도다.
나무 달마야達磨耶

스님네들 부사의 하여라.
몸에는 세 가지 가사 입고
잔을 타고 바다를 건너오셨네.
원하는 대로 여러 중생에게 나아가나니
인간·천상의 공덕주功德主 되며
하염없는 계율 굳게 지니어
내 지금 머리 조아려 서원하오니
육환장으로 인도하소서.
나무 승가야僧伽耶

양황보참 의문

梁皇寶懺儀文

찬 讚

계향 · 정향 등을
사루어 천상에 뻗치고
저희들 지극한 정성으로
황금 향로에 사르오니
잠깐 동안에 향기가
시방 세계에 가득하오며
옛날에도 야수다라께서
난을 면하고 재앙이 소멸하였나이다.
나무 향운개보살마하살 香雲盖菩薩摩訶薩(3번)

삼가 듣사온즉,

양무제는 처음 시작하면서 미륵보살 이름을 썼으며,
지공 스님은 연화장蓮華藏 세계의 글을 모으고,
모든 경에서 부처님들의 명호를 기록하며,
스님들을 청하여 참법을 선양하였나이다.
참회하는 법문은
양나라 황제의 꿈을 감응케 하였고,
상서로운 기운은 양무제 때에 드날리었나이다.
그 때부터 찬란한 황금광명이 어둡지 않고,
치성한 불길이 향기로웠으며,
향연이 대궐에 진동하고 꽃술이 왕궁에 화려하니,
푸른 구름 속에는 하늘사람이 단정한 몸을 나타내고,
백옥의 섬돌 앞에는
치 씨가 구렁이의 괴로움을 벗었나이다.

이렇게 재앙이 소멸하여 길상한 일이 생기고,
이리하여 죄업罪業이 없어지고 복이 이르렀나이다.
참으로 병을 구원한 좋은 약이며,
어둠을 깨뜨리는 밝은 등불이옵니다.

은혜는 온 세상에 젖었고
공덕은 모든 중생에게 입혔으니,
참법의 공덕을 무어라 찬탄하리오.

이제 참법의 글을 처음 열어
보현보살께 아뢰옵고,
마음으로 향화를 생각하여
시방의 부처님께 공양하오며,
청정한 참법의 단檀을 장엄하려고
먼저 비밀한 글월을 외우오니,
바라건대 선한 결과로 가피하시어
죄업의 업인業因이 소멸케 하여 지이다.
넓으신 자비에 호소하오니
크게 영험을 드러내 주시옵소서.
나무 보현왕보살마하살 普賢王菩薩摩訶薩(3번)

한 보살이
결가부좌하고 계시니

이름은 보현이요,

몸은 백옥 빛이며

50가지 광명과

50가지 빛깔은

후광後光이 되어 빛나고

몸의 털구멍마다

금색광명이 흘러나오고

그 광명 위에는

한량없는 화신化身 부처님께서

화신보살로

권속을 삼고

천천히 거닐며

보배 꽃을 피우면서

수행자의 앞에 이르시네.

타고 있는 코끼리가 입을 벌리니

어금니 위의

여러 못에는 옥녀玉女들이

풍류를 잡히매,

그 소리 미묘하여
대승의 실다운 도리를 찬탄하네.
수행자가 보고는
환희하여 예배하고,
깊고 깊은 경전을
다시 읽고 외우며,
시방의 무량한 부처님께
두루 예배하고,
다보불탑多寶佛塔과 석가모니불께
예배하고, 아울러
보현보살과 모든 큰 보살에게도
예배하고 서원을 발하나니,
저희가 전생의 복덕으로
보현보살 뵈올 수 있다면
원컨대 보살이시여,
기꺼이 저희에게
색신色身을 나타내소서.
나무 보현보살 普賢菩薩(10번)

일체공경 一切恭敬

지심귀명례 시방법계 상주불 十方法界常住佛

지심귀명례 시방법계 상주법 十方法界常住法

지심귀명례 시방법계 상주승 十方法界常住僧

저희들은 각각 호궤(胡跪: 오른쪽 무릎을 땅에 대고 꿇어앉는 예법)하옵고 향과 꽃으로 시방 법계의 세 보살 전에 법답게 공양하나이다.

바라옵나니 꽃과 향기가 시방에 퍼져
아름답고 미묘한 광명대光明臺 되고
하늘세계의 풍류와 보배로운 향과
하늘나라의 음식과 보배로운 의복과
부사의하고 오묘한 법의 티끌(法塵: 법진. 육진六塵의 하나. 의근意根의 대상인 모든 법)속에서
티끌마다 나오는 모든 티끌과
티끌마다 나오는 모든 법들이

감돌며 장애 없이 번갈아 장엄하니
시방 세계 3보전에 두루 이르고
시방 세계 3보님 계신 곳마다
그 곳에서 이내 몸 공양 받들며
그런 몸이 법계에 가득 찼으되
복잡도 안 하고 걸림도 없어
오는 세상 끝나도록 불사를 지어
온 법계의 중생들께 두루 풍기고
향기 맡은 중생들은 보리심 내어
무생법인(無生法忍: 모든 것이 불생불멸임을 아는 것)의 부처님 지혜 얻어 지이다.

— 이같이 생각하면서 꽃을 흩으며 향을 사르어 받든다.

이 향기와 꽃구름이
시방 세계에 두루 퍼져
여러 부처님과 가르침과
모든 보살들과
그지없는 성문들과

천인들께 공양하오니,

광명대光明臺를 이루어서

무량한 세계 지나가면서

한량없는 부처님 세계에

갖가지로 불사를 지으며

중생들께 널리 풍겨

모두들 보리심을 내어 지이다.

나무 보단화보살마하살 寶檀華菩薩摩訶薩(3번)

상호가 매우 기특하시고

광명은 시방을 비추시니

내가 일찍이 공양하였삽고

이제 또 친근하옵니다.

부처님께서는 하늘들 가운데 왕이시니

가릉빈가의 음성으로

중생을 어여삐 여기시는 이,

저희들 지금 예배합니다.

자비도량참법

慈悲道場懺法

제1권

1. 귀의삼보 歸依三寶

2. 단의 斷疑

3. 참회 懺悔

자비도량참법

慈悲道場懺法

제1권

입참문 入懺文

듣사오니 화신이 시방국토에 두루 응하시고,

설법하는 목소리는 삼계의 인간·천상에 들리나니,

모든 것에 걸림 없는 사람들이 모두

한 길道과 한 문門으로부터 생사의 고해를 벗어나고,

1승(一乘: 중생을 태워 깨달음에 나아가도록 하는 부처님의 가르침)의 원교(圓教: 원만하고 궁극적인 부처님의 가르침)와 돈교(頓教: 점차적으로 깨치지 않고 단박에 깨닫게 하는 가르침)가

모두 한 모양과 한결같은 맛으로

열반을 증득하게 하나이다.

근거를 따름은 달이 일천 강에 비치는 것 같고,
물건에 응함은 봄이 온 누리에 돌아오는 듯하여,
법계에 두루 반연하고,
도량마다 골고루 앉으시도다.
도안道眼으로 증명하사 범부의 괴로움을 보살피소서.
오늘,
참회하고자 하는 저희들이
자비도량참법을 건설하옵는데,
이제 제1권의 단壇에 들어가는 연기緣起를 당하여
저희들은 일심으로 정성을 다하여 3업을 깨끗이 하고,
과목을 따라 범음梵音을 연설하며,
향을 사르고 꽃을 흩어
10방의 3보 앞에 공양하고 부처님의 명호를 칭양하며,
5체를 엎드려 귀의하옵고
발로 참회하여 업장을 소멸하려 하나이다.
생각하옵건대,
저희들이 끝없는 옛적부터 오늘에 이르도록
본 성품을 모르고 1승의 이치를 등졌음에

눈을 가리는 병으로 공화空華가 어지럽고,

무명의 물거품이 일어나서

환멸의 바다가 출렁거리나이다.

참된 삼매를 어기고 무명이 어지러이 일어나

마음에는 3독이 치성하여 천만 가지 업을 지었는지라,

8만 가지 번뇌의 문이 열리었고,

번뇌는 백천 가지 업장을 지었으며,

탐욕의 경계를 따름은 고삐 없는 미친 코끼리 같고,

허망한 인연을 좇는 것은

등불에 모여드는 나비와 같아서,

죄는 태산같이 쌓였고 업은 창해처럼 깊었으며,

이미 선근이 없사와

나쁜 과보에서 도망할 길이 없나이다.

이제 간곡한 생각으로 마음을 고치고,

밖으로는 좋은 인연을 의지하고

안으로는 부끄러운 뜻을 품어,

이 청정한 대중을 모으고 참회의 법문을 외우오니,

1천 부처님의 광명을 입사와
여러 생의 죄업을 씻어 지이다.
저희 소원이 이러하오니
부처님께서 어여삐 여기시어
크신 자비를 드리워 가피하여지이다.

천상이나 인간에서 부처님이 제일이니
시방세계 어디서나 견줄 이 없네.
이 세간에 있는 것들 하나하나 다 보아도
부처님과 같은 이 하늘 아래 다시없네.

자비도량참법을 받자와 행하오며
지극한 마음으로 3세 부처님께 귀의하나이다.

지심귀명례 과거 비바시불 過去毘婆尸佛
지심귀명례 시기불 尸棄佛
지심귀명례 비사부불 毘舍浮佛
지심귀명례 구류손불 拘留孫佛

지심귀명례 구나함모니불 拘那含牟尼佛

지심귀명례 가섭불 迦葉佛

지심귀명례 본사 석가모니불 本師釋迦牟尼佛

지심귀명례 당래 미륵존불 當來彌勒尊佛

높고, 또 깊은 미묘한 법문
백천만 겁에 만나기 어려운데
지금 듣고 받아가지니
부처님 참뜻 알아 지이다.

자비도량이란 네 글자는 현몽으로 인하여 세운 것이다. 미륵보살께서는 인자하심이 이 세상에서 가장 높고 자비하심은 후세까지 이른다. 그러므로 일에 의지하여 이름을 지은 것이니 어찌 감히 어기리오. 이 염원을 받자와 3보를 수호하여 마군魔軍은 숨게 되고 자기만을 주장하는 증상만을 꺾어버리며, 선근을 심지 못한 이는 선근을 심게 하고, 선근을 이미 심은 이는 더욱 증장케 하며, 얻을 것이 있다고 잘못된 소견을 가지는 이는 모두 버리려는 마음을 내게 하며, 소승법을 좋아하는 이는 대승법을 의심치 않게 하고, 대승법을 좋아하는 이는 환희심을 낼지니라.

또, 이 자비심은 여러 선한 법 중의 왕이어서 일체중생이 귀의할 곳이니, 해가 낮에 비치듯, 달이 밤에 비치듯, 사람의 눈이 되고, 사람의 길잡이가 되고, 사람의 부모가 되고, 사람의 형제가 되어, 도량에 함께 나아가는 선지식이자 자비하신 어버이여서 혈육보다도 소중하나니, 세세생생에 서로 의지하여 죽더라도 떠나지 아니하려고 평등한 마음으로 위와 같이 이름하느니라.

오늘, 이 도량에서 산 대중과 죽은 대중이 함께 이 참법을 세우고 큰 마음을 발함에는 열두 가지 큰 인연이 있나니, 무엇이 열둘인가. 1은 원컨대 육도를 교화하되 마음에 제한이 없음이요, 2는 자비하신 은혜를 갚되 공덕이 무한함이요, 3은 이 선근의 힘으로 모든 중생들이 부처님의 계율을 받되 범할 마음을 일으키지 않음이요, 4는 이 선근의 힘으로 모든 중생들이 어른을 대하여 경홀한 마음을 일으키지 않음이요, 5는 이 선근의 힘으로 모든 중생들이 태어난 곳에서 성내는 마음을 일으키니 않음이요, 6은 이 선근의 힘으로 모든 중생들이 다른 이의 몸매에 질투하는 마음을 내지 않음이요, 7은 이 선근의 힘으로 모든 중생들이 안과 밖의 법에 대하여 간탐하는 마음을 내지 않음이요, 8은 이 선근의 힘으로 모든 중생들이 복을 닦되, 자기를 위하지 않고 보호함이 없는 중생을 위함이요, 9는 이 선근의 힘으로 모든 중생들이 자기를 위해 네 가지 섭수하는 법(4섭법四攝法: 중생을 교화하기 위한 네 가지 행위. ①보시 ②부드러운 말 ③남을 이롭게 하는 것 ④남과 같은 입장에 서서 남의 일을 돕는 것.)을 행하지 않음이요, 10은 이 선근의 힘으로 모든 중생들이 고독한 이와 붙들려 갇힌 이와 병난 이를 보거든 구제하려는 마음을 내어 안락을 얻게 함이요, 11은 이 선근의 힘으로 모든 중생으로 하여금 굴복시킬 이는 굴복시키고 거두어 줄 이는 거두어 주게 함이요, 12는 이 선근의 힘으로 모든 중생들이 태어난 곳에서 항상 생각하여 보리심을 내고, 그 보리심이 서로

계속하여 끊이지 않게 함이니, 원컨대 이 산 대중과 죽은 대중이 범부와 성현을 막론하고 다 같이 보호함을 입고 섭수함을 받으며, 저희들의 참회함이 청정하고 소원을 성취하여 부처님의 마음과 같고 부처님의 서원과 같아서 6도 4생이 모두 따라와서 보리심을 만족할지니라.

1. 귀의삼보 歸依三寶

오늘, 이 도량의 동업대중이 사람마다 각오할 뜻을 일으키되 세상이 무상하니 이 몸이 오래가지 못할 것을 생각하라. 젊다고 하나 반드시 노쇠하나니 용모만을 믿고 스스로 더러운 행동을 하지 말지니라. 만물이 모두 무상하여 필경에 죽어가는 것이니 천상천하에 누가 능히 머물러 있으리요. 젊은 얼굴이 살결이 아름답고 숨결이 향기로우나 이 몸을 보존할 것이 아니며, 사람은 마침내 마멸하여 없어지는 것이어서 생로병사가 이르러 올 것을 기약하지 않나니, 누가 나를 위하여 물리칠 것인가. 재앙이 갑자기 이르는 것임에 벗어날 수 없느니라. 귀한 이나 천한 이를 가리지 않고 한 번 죽으면 몸이 퉁퉁 붓고 썩어서 냄새를 말을 수 없나니, 속절없이 아낀들 무슨 이익이 있으랴. 만일 훌륭한 업을 행하지 않으면 벗어날 길이 없느니라. 저희들이 스스로 생각건대 몸은 아침 이슬과 같고, 생명은 저녁 햇빛과 같으며, 가난한 집에 태어나서 공덕은 지은 것이 없도다. 대인大人의 신성한 지혜가 없고, 성인의 통철한 식견이 없으며, 충성되고 인자한 말이 없고, 진퇴하는데 절조 있는 행이 없나니, 이 뜻을 세웠으나 여러 어른을 괴롭힐 뿐이요, 여러 대중을 억울하게 하여 부끄러운 생각이 그지없도다. 참법의 이 자리는 기약이 있나니, 따라 생각한들 무엇하리요. 이제 한 번 이별하면 각각 노력하여 조석으로 공양을 받들고 부지런히 정진하는 것이 좋은 일이니, 바라건대 대중은 마음을 가다듬어 인욕하는 정성으로 법문에 깊이 들어갈지니라.

오늘, 이 도량의 동업대중이여, 각각 진중한 생각으로 용맹한 마음, 방일하지 않는 마음, 평안히 머무는 마음,

큰 마음, 훌륭한 마음, 자비한 마음, 착한 일 좋아하는 마음, 환희하는 마음, 은혜 갚을 마음, 모든 중생 제도할 마음, 모든 중생 수호할 마음, 모든 중생 구제할 마음, 보살과 같은 마음, 여래와 같은 마음을 일으키며, 지극한 정성으로 5체투지하고, 부모 사장과, 상·중·하좌上中下座와 선지식·악지식과, 천인과 신선과, 호세 사천왕과, 착한 일을 주장하고 악한 일을 벌주는 이와, 주문을 호지하는 이와, 5방의 용왕과, 용신 8부와, 10방의 무궁무진한 중생들과, 수륙공계水陸空界의 모든 유정들을 위하여 예경할지니라.

지심귀명례 시방 진허공계 일체제불
十方盡虛空界一切諸佛

지심귀명례 시방 진허공계 일체존법
十方盡虛空界一切尊法

지심귀명례 시방 진허공계 일체현성
十方盡虛空界一切賢聖

오늘, 이 도량의 동업대중이여, 무슨 뜻으로 3보에 귀의하는가. 부처님과 보살들은 한량없이 큰 자비가 있어 세상을 제도하고, 한량없이 큰 인자함이 있어 세상을 위로하시며, 모든 중생을 외아들처럼 생각하고, 대자대비하심은 쉬지 아니하여 착한 일을 항상 지어 모든 중생을 이익케 하며, 중생들의 3독의 불을 소멸하고, 아뇩다라삼먁보리를 얻도록 교화하시며, 중생이 부처가 되지 못하면 정각을 취하지 아니한다고 하시었나니, 그러므로 마땅히 귀의해야 하느니라.

또, 부처님은 중생을 어여삐 여기심이 부모보다도 더 하시느니라.

경에 말씀하시기를, "부모가 자식을 생각함은 한 세상에 그치거니와, 부처님이 중생을 생각하심은 자비가 그지없느니라. 또 부모는 자식이 배은망덕함을 보면, 성을 내어서 자비가 박약하지만, 부처님과 보살의 자비는 그렇지 아니하여 이런 중생을 보면 자비심이 더욱 커지며, 내지 무간지옥에 들어가고 큰 불구덩이에 들어가더라도 중생들을 대신하여 무량한 고통을 받는다." 고 하셨느니

라. 그러므로 부처님과 보살들이 중생을 생각하심이 부모보다 더한 것이거늘, 중생들의 무명이 지혜를 가리고 번뇌가 마음을 덮어서 부처님과 보살들에게 귀의할 줄을 알지 못하며, 법을 말하여 교화하더라도 믿지 아니하고 더러운 말로 비방하며, 마음을 내어 부처님 은혜를 생각지 아니하며, 믿지 않는 연고로 지옥이나 아귀나 축생의 나쁜 갈래 들어가서 세 갈래로 두루 다니면서 무량한 고통을 받으며, 죄가 끝나고 인간에 태어나더라도 이목구비가 온전하지 못하며, 선정이 없고 지혜가 없나니, 이런 것들이 다 신심이 없는 탓이니라.

오늘, 이 도량의 동업대중이여, 믿지 않는 죄는 모든 죄의 으뜸이니, 수행하는 사람들로 하여금 길이길이 부처님을 보지 못하게 하느니라. 오늘, 서로가 강개慷慨한 마음을 내어 나쁜 뜻과 정情을 꺾어버리고, 증상增上하는 마음을 내고 부끄러운 뜻을 일으켜 머리 조아려 애원하여 지나간 죄를 참회할지어다. 죄업이 다하여 안팎이 깨끗해진 연후에 생각을 일으켜 믿는 문에 들어가야 하거니와, 만일 이런 마음과 이런 뜻을 일으키지 않으면, 간격이 막혀 장애를 통하지 못할 것이니 이 길을 한 번 잃으면 다시는 돌아오지 못하리니, 어찌 사람마다 5체투지하기를 산이 무너지듯이 하며, 일심으로 믿어 다시 의심이 없게 하지 아니하리오. 우리들이 오늘날 부처님과 보살들의 자비하신 힘으로 깨우침을 입고, 부끄러운 마음을 내어 이미 지은 죄는 소멸하기를 바라고, 아직 짓지 아니한 죄는 다시 짓지 않기로 서원하지 아니하겠는가.

오늘부터 보리를 증득할 때까지 견고한 신심을 일으키고 다시 물러가지 않으며, 이 몸을 버린 후에 지옥에 태어나거나, 아귀에 태어나거나, 축생으로 태어나거나, 인간으로 태어나거나, 천상에 태어나 3계에서 남자가 되기도 하고 여자가 되기도 하고, 남자도 아니고 여자도 아닌 몸을 받기도 하며, 크게도 나고 작게도 나며, 올라가기도 하고 내려가기도 하면서 모든 고통을 받는 일이 견디기 어렵도다. 서원코 그 고통을 위하여 오늘의 신심을 어기지 않을 것이며, 차라리 천 겁, 만 겁 동안 갖가지 고통을 받더라도 서원코 그 고통을 위하여 오늘의 신심을 어기지 아니하오리니, 원컨대 부처님과 보살들이 한 가지로 구호하시며 한 가지로 섭수하시어, 저희들로 하여금 신심이 견고하여 부처님 마음과 같고, 부처님의 서원과 같아서 마군과 외도들이 능히 파괴하지 못하게 하소서. 지극한 정성으로 다 같이 간절하게 5체투지하나이다.

지심귀명례 시방 진허공계 일체제불
지심귀명례 시방 진허공계 일체존법
지심귀명례 시방 진허공계 일체현성

오늘, 이 도량의 동업대중이여, 마음을 가다듬고 들으라. 인간과 천상이 모두 환술 같으며 세계가 헛된 것이니, 환술이 참된 것이 아니므로 진실한 과보가 없고, 헛된 것은 뿌리가 없으므로 변천이 끝없느니라. 진실한 과보가 없으므로 오랫동안 생사에 헤매고, 변천이 끝없으므로 고해에 항상 유전하나니, 이런 중생들을 성현은 가엾이 여기시느니라. 그러므로 비화경에 말씀하시기를,

"보살이 성불하는 데는 각각 본래의 서원이 있다. 석가모니 부처님께서 장수하지 않으시고 목숨이 짧은 것은 '이 중생의 변화가 잠깐이며, 고해에 항상 헤매면서 벗어나지 못함을 가엾이 여겨 그를 나타내기 위함' 이며, 이 국토에 계시면서 여러 나쁜 일을 구제하시기 위해 가르침에도 억세고 애쓰는 말씀이 있기에 괴로움을 버리지 아니하시고 중생을 제도하시면서 선한 방편으로 구제하는 마음이 간절하시기 때문이다." 하였다.

그러므로 삼매경에 말씀하시되, "모든 부처님의 마음은 대자대비심이니, 자비심으로 고통 받는 중생을 반연하실 적에 만일 중생의 괴로움 받는 것을 보면 화살이 염통에 박히는 듯, 눈동자를 찌르는 듯하며, 보고는 슬피우시면서 마음이 편안치 아니하시어 그 괴로움을 구해주어 안락케 하려 하시며, 또 부처님의 평등한 지혜로는 교화하심도 평등하니라. 석가모니 부처님을 용맹하다고 칭찬하심은 능히 괴로움을 참으시고 중생을 제도하시는 연고니라. 그러므로 알라. 본사 석가모니 부처님의 은혜가 막중하시어 괴로움 받는 중생에게 여러 가지 말씀으로 모두 다 이익케 하시느니라." 하였다.

우리들이 오늘까지 제도하심을 입지 못하여 앞으로는 한결같은 음성을 듣지 못했고, 뒤로 열반하심을 보지 못한 것은 업장이 두터워서 우리의 생각이 부처님의 자비와 어기는 연고니라. 오늘날 서로 연모하는 마음을 일으킬지니, 여래를 연모하는 연고로 선한 마음이 농후하여 괴로운 가운데서도 부처님의 은혜를 생각하고서 흐느끼고 서러워하며, 참괴하고 슬퍼하여 다 같이 간절하게 5체투지하고, 지극한 마음으로 국왕과 대신과 토지와 인민과 부모와 사장師長과 시주 단월과 선지식과 악지식과 하늘과 신선과, 총명하고 정직한 천지허공의 호세 사천왕과, 착한 일을 주장하고 악한 일을 벌주는 이와 주문을 수호하는 이와 5방 용왕과 용신 8부와 시방의 무궁무진한 중생들을 위하여 예경할지니라.

지심귀명례 시방 진허공계 일체제불

지심귀명례 시방 진허공계 일체존법

지심귀명례 시방 진허공계 일체현성

—서로 호궤 합장하고 마음으로 생각하면서 입으로 이렇게 말한다.

부처님 대성존大成尊께서
모든 법을 다 깨달으시고
천상·인간의 큰 스승 되오시니
그러므로 귀의합니다.

모든 법이 항상 머물러
청정한 모든 경전이
몸과 마음의 병을 없애주시니
그러므로 귀의합니다.

대지大地의 모든 보살과
집착하지 않는 네 가지 스님들
모든 괴로움 구제하시니
그러므로 귀의합니다.

삼보께서 세간을 구호하실새
내 지금 머리 조아려 경례하노니
여섯 갈래 모든 중생들
이제 모두 귀의합니다.

모든 유정을 자비로 덮어
모두 다 안락케 하시니
중생을 애민하시는 이에게
우리 함께 귀의합니다.

5체투지하고 각각 생각하고 사뢰옵나이다. 우러러 바라오니 시방의 3보께서는 자비의 힘과 본원의 힘과 신통의 힘과 불가사의한 힘과 끝없이 자재한 힘과 중생을 제도하는 힘과 중생을 감싸 보호하는 힘과 중생을 위로하는 힘으로써 중생들로 하여금 깨닫게 하시나니, 저희들이 오늘날 3보에 귀의함을 아시리이다.

이 공덕의 힘으로써 중생들로 하여금 각각 소원을 이루

게 하여, 천상이나 신선 중에 있는 이는 번뇌가 끝나게 하고, 아수라에 있는 이는 교만한 버릇을 버리게 하고, 인간에 있는 이는 괴로움이 없게 하고, 지옥 · 아귀 · 축생에 있는 이는 그 갈래를 여의게 하여 지이다.

또, 오늘날 3보의 이름을 들은 이나 듣지 못한 이를, 부처님의 신통으로 모든 중생들이 해탈을 얻어서 끝까지 무상보리를 성취케 하여 여러 보살들과 한가지로 정각에 오르게 하여 지이다.

2. 단의 斷疑

오늘, 이 도량의 동업대중이여, 일심으로 자세히 들으라. 인과의 관계로 감응하여 나게 되는 것은 필연한 도리여서 어긋남이 없건만, 중생들의 업행業行이 순일하지 않고 악을 번갈아 쓰느니라. 업행이 순일하지 않으므로 과보에 정미롭고 거친 것이 있어서, 귀하고 천하고 선하고 악한 일이 한결같지 않으며, 만 가지 차별이 있느니라.

차별이 있으므로 본래의 행을 알지 못하고, 알지 못하므로 의혹이 어지러이 일어나, 정진하고 계행을 지키는 이는 마땅히 오래 살아야 할 것인데 도리어 단명하고, 도살하는 사람은 단명해야 할 터인데 도리어 장수하며, 청렴한 선비는 부귀해야 할 것인데 오히려 빈곤하고, 도둑질하는 사람은 곤궁해야 할 것인데 도리어 잘 산다 하느니라. 이러한 의혹은 어느 사람인들 그런 생각이 없으랴만 과거의 업으로 받는 과보인 줄을 알지 못하도다.

반야경에 말하기를, '이 경을 읽으면서도 남에게 경천히 여겨지는 이는 이 사람이 과거에 지은 죄업으로 나쁜 갈래 떨어질 것이로되, 지금 사람의 경천함을 받는 연고로 전세의 죄업이 소멸한다.' 하였거늘, 중생들이 경의 말씀을 믿지 않고 이런 의심을 하는 것이니, 다 무명의 망념으로 뒤바뀐 생각을 내는 것이니라. 또 3계의 안에는 모두 고통이요, 3계의 밖이라야 낙인 줄을 믿지 않으므로 세간에 물든 일들을 낙이라 하나니, 만일 세간이 낙이라면 무슨 연고로 다시 고통을 받는가. 음식을 과도히 먹어

도 병이 생기고, 숨이 차고 배가 아픈 것과, 내지 의복에서도 근심과 걱정이 생기나니, 겨울에 베옷을 입게 되면 고마운 줄을 모르고 원망이 앞서며, 여름에 솜옷을 보기만 하여도 괴로운 생각이 깊어지나니, 세상이 낙이라면 어째서 걱정이 생기겠는가. 그러므로 음식과 의복도 참으로 낙이 아니니라.

또, 권속이 낙이라 한다면, 마땅히 항상 즐거워서 그지없이 노래하고 웃어야 할 것이거늘, 어찌하여 잠깐 동안에 무상하여 문득 죽어가는가. 지금까지 있다가 없어지고, 저 때까지 있던 것이 이제 없어지면, 땅을 치며 하늘을 우러러 울부짖고 창자가 끊어지는 듯하고, 또 날 때는 어디서 오고 죽어서는 어디로 가는 것인지 모르면서 슬픈 생각으로 보낼 적에, 광막한 산 속까지 가서는 손을 잡고 이별하나니, 한 번 가면 만겁萬劫에도 돌아오지 않느니라. 이런 것들은 괴롭기 한량없건만 중생이 아득하여 이것을 낙이라 생각하고 세간에서 벗어나는 것은 괴로움이라 여기느니라.

혹 나물밥을 먹어 음식을 조절하며, 가벼운 옷을 버리고 누더기 입는 것을 보고는 억지로 고통을 사는 것이라 하고, 이러한 것이 해탈하는 것인 줄을 알지 못하며, 혹 보시하고 계행을 가지며 인욕하고 꾸준히 노력하며 예배하고 경을 읽는 사람들이 부지런히 애쓰는 것을 보고는 모두 괴로운 일이라 말하고, 이러한 것이 출세간의 마음인 줄을 알지 못하도다. 그러다가 병들어 죽는 것을 보고는 문득 의심을 내어 종일토록 몸과 마음을 괴롭히며 잠깐도 쉬지 못하나니, 사람의 기력으로야 어떻게 이를 감당하며, 만일 부지런히 노력하지 않고서야 어찌 피곤하게 될 것이며, 부질없이 목숨만 버리나니 무슨 이익이 있으리오.

혹은 자기의 소견을 고집하여 이치가 그런 것이라 하면서도, 결과를 보고 원인을 찾을 줄을 알지 못하고 의혹만 내나니, 만일 선지식을 만나면 의혹을 제할 수 있고, 악지식을 만나면 어리석음만 더할 뿐이니라. 의혹하는 탓으로 3악도에 떨어지나니 악도에 있으면서 후회한들 무엇하리오.

오늘, 이 도량의 동업대중이여, 무릇 이러한 의혹은 인연이 한량없거니와, 이 의혹하는 습기는 3계 밖으로 벗어나더라도 모두가 버릴 수가 없거늘, 하물며 이 몸으로야 어떻게 버릴 수 있으리오. 이생에서 끊지 못하면 내생에는 더욱 증장할 것이니라. 대중들은 더불어 이 먼 길을 걸어가는 것이니, 마땅히 부처님 말씀대로 수행할 것이요, 아직도 의혹하면서 고달픔을 사양하지 말라. 여러 부처님들이 생사에서 벗어나 피안에 이르신 것은 쌓은 선한 공으로 말미암아 무애하게 자재 해탈한 것이거늘, 우리들은 오늘까지 생사를 떠나지 못하였으니, 진실로 슬픈 일이다. 어찌하여 이 나쁜 세상에 다시 있기를 탐내겠는가. 오늘날 4대가 쇠하지 아니하고 5복이 강건하여, 다니며 일함이 마음과 같이 자재함에도 노력하지 아니하면 다시 어느 때를 기다려야 하는가. 지나간 일생에 이미 도리를 보지 못하였나니, 금생까지 그냥 보낸다면 다시 증득함이 없으리니 오는 세상에서 어떻게 제도하리오.

가슴에 손을 얹고 생각하면 진실로 슬픈 일이로다.

대중 스님들, 오늘을 당하여 마땅히 과정을 엄하게 세우고 노력할지언정 거듭 말하는 것을 잠깐 쉴 것이니, 성인의 길이 멀고 멀어 하루에 끝낼 수 없다고 하지 말라. 이렇게 하루하루 미루면 어느 때에 할 일을 마치겠는가. 지금 경을 읽거나 참선을 하여 부지런히 고행하다가 몸이 조금 아프면, 문득 말하기를 "경 읽고 참선하다가 이렇게 되었다." 하지만, 만일 이런 수행을 하지 않았더라면 벌써 죽었을지도 모를 것이며, 이런 수행을 하는 연고로 오늘까지 이른 것을 알아야 하느니라. 또 4대는 더하기도 덜하기도 하는 것인즉 병나는 것은 떳떳한 일이며, 내지 늙고 죽는 것은 피할 수 없는 일이니, 사람은 세상에 나면 필경은 없어지는 것이니라. 도를 얻으려거든 부처님 말씀을 의지할 것이니, 부처님 말씀을 어기고 도를 얻는 것은 있을 수 없는 일이니라.

모든 중생이 부처님의 말씀을 어긴 탓으로 3도에 헤매

면서 여러 가지 고통을 받는 것이니, 만일 부처님의 말씀과 같이하여 잠깐도 쉬지 말고 모든 법을 부지런히 닦되 머리에 불타는 것을 끄듯 할 것이니, 일생이 끝나도록 아무것도 얻음이 없게 하지 말라.

지금 모든 사람이 다 같이 간절하게 5체투지하기를 태산이 무너지듯 하면서 중생된 후부터 오늘에 이르기까지의 다생부모多生父母와 친척과 화상과 아사리와 단상의 증사 스님과 상 · 중 · 하좌와 시주 단월과 선지식 · 악지식과 하늘과 신선과 호세 4천왕과 착한 일을 주장하고 악한 일을 벌주는 이와 주문을 수호하는 이와 5방 용왕과 용신 8부와 시방의 무궁무진한 중생들을 위하여 세간의 대자대비하신 부처님께 귀의할지니라.

지심귀명례 미륵불 彌勒佛
지심귀명례 과거 비바시불 過去毘婆尸佛
지심귀명례 시기불 尸棄佛
지심귀명례 비사부불 毘舍浮佛

지심귀명례 구류손불 拘留孫佛
지심귀명례 구나함모니불 拘那含牟尼佛
지심귀명례 가섭불 迦葉佛
지심귀명례 석가모니불 釋迦牟尼佛
지심귀명례 무변신보살 當來彌勒尊佛
지심귀명례 관세음보살 觀世音菩薩

또 거듭, 시방의 다함없는 모든 3보께 귀의하나이다. 바라옵건대 자비하신 힘으로 함께 거두어주시며, 신통력으로 두호하시고 건져주소서. 오늘로부터 보리에 이르도록 4무량심과 6바라밀이 항상 앞에 나타나며, 4무애지와 6신통이 뜻대로 자재하여서 보살도를 행하여 부처의 지혜에 들어가며 시방의 중생을 함께 교화하여 다 같이 정각에 오르게 하여 지이다.

오늘날, 이 도량의 동업대중이여, 다시 지극한 정성으로 마음을 잘 거두고 서로 더불어 귀의하고 믿는 문에 들어가며, 마땅히 생각을 가다듬어 나아가기로 기약하고 내법內法과 외법外法에 대하여 다시 망설이지 말 것이며, 만일 본래의 업이 분명하지 못하여 스스로 지을 수 없더라도 다른 이의 복 짓는 일을 보거든 마땅히 권장할 것이며, 탄지彈指하고 합장하여 덕에 나아갈 것을 분명히 할지언정, 부질없이 마음을 일으켜 장애함을 지어서 저 수행하는 사람으로 하여금 물러가게 하지 말지니, 만일 물러가지 않는다면 그의 나아감이 여전할 것이니라. 그에게 이미 감손함이 없으니 나만 스스로 해로울 것임에, 부질없이 시비만 일으켜 내 몸에 무슨 이익을 기약하리오. 만일 선한 일을 장애하는 이가 없으면 도리어 합장하여 유력한 대인大人이 되려니와, 만일 장애를 짓는다면 오는 세상에 어떻게 부처님의 도를 통달할 것인가. 이치를 따라 생각하면 손해가 막심하고 다른 이의 선근을 방해하면 죄가 진실로 클 것이니라.

호구경護口經에 말하였다.

"어떤 아귀가 있는데 형상이 흉악하여 보는 이로 하여금 소름이 끼치게 하여 두려워하지 않는 이가 없으며,

몸에서는 맹렬한 불길이 나와서 마치 불더미 같으며, 입에서는 구더기가 한량없이 나와서 고름과 피로 몸을 장엄하였으며, 구린 냄새가 멀리 퍼져서 가까이 갈 수 없으며, 혹은 입으로 불꽃을 토하고 골절마다 불이 일어나서 소리를 높여 부르짖어 통곡하면서 사방으로 돌아다녔다.

이 때 만족滿足아라한이 아귀에게 물었다.

'너는 전세에 무슨 죄를 지었기에 지금 이런 고통을 받느냐.'

아귀가 답하였다.

'나는 전세에 사문이었는데 재산에 연연하여 탐을 내고 버리지 못하였으며, 위의를 돌보지 않고 추악한 말을 함부로 하였으며, 계행을 지니고 정진하는 이를 보기만 하면 꾸짖고 욕설하며 눈을 흘겨 비웃고, 스스로는 호강한양 언제까지나 죽지 않으리라 여겨 한량없이 나쁜 짓을 한 탓입니다. 지금 생각하고 뉘우친들 무슨 소용이 있으리오. 차라리 잘 드는 칼로 혀를 끊고 싶으며, 이 겁에서 저 겁에 이르도록 모든 고통을 달게 받을지언정 한 마디라도 다른 이의 착한 일을 비방하지 않으려 합니다. 존자께서 남섬부주에 가시거든 나의 이 꼴을 여러 비구와 불제자에게 말하소서. 그리하여 구업을 잘 수호하고 망령된 말을 하지 말며, 계행을 지니거나 지니지 아니하더라도 그 덕만을 선포하라고 하십시오. 내가 받은 아귀의 몸은 수천 겁을 지내도록 밤낮으로 끝없는 고초를 받다가 이 과보가 다하면 다시 지옥에 들어갈 것입니다.'

그 때 아귀가 이 말을 마치고, 부르짖어 통곡하며 땅에 엎드려 넘어지니 마치 태산이 무너지는 듯하였다."

오늘날, 이 도량의 동업대중이여, 경에 말씀한 것이 매우 두렵도다. 한 가지 구업으로도 여러 겁 동안 과보를 받거늘, 하물며 그 외의 여러 가지 선하지 않은 근본이겠는가. 이 몸을 버리고 고통을 받는 것은 모두 스스로 지은 업의 과보이니, 만일 인을 짓지 아니하였으면 어찌 과보를 얻을 것이며, 인因을 지으면 과보는 없어지지 아니하나니, 죄나 복이 멀지 아니한지라 이 몸으로 받는 것이니, 마치 그림자나 메아리 같아서 여읠 수 없느니라. 무명으로 말미암아 난 몸이니 역시 그로 인하여 죽을 것이니라. 과거 · 현재 · 미래에 방일한 사람은 해탈을 얻지 못할 것이나, 능히 수호하는 이는 무궁한 복을 받을 것이니라.

오늘 대중들은 각각 참괴한 생각으로 몸과 마음을 씻어 버리고 예전의 허물을 참회하여 옛일을 고치고 새 일을 짓지 아니하면 부처님들이 칭찬하리라.

우리는 오늘부터 남의 선한 일을 보거든 성취하거나 성취하지 못하거나, 오래하거나 오래하지 못하거나를 막론하고 기뻐할지니라. 설령 1념이나, 잠깐이나, 1시나, 1각이나, 1월이나, 반년이나, 1년만 하더라도, 벌써 선을 짓지 않은 이보다는 훌륭하니라.

그러므로 법화경에 말하기를, '만일 어떤 사람이 탑 속에 들어가서 산란한 마음으로라도 한 번 나무불南無佛하고 외우기만 해도 모두 불도를 이루느니라.' 하였거늘, 하물며 어떤 이가 이러한 큰마음을 세우고 복과 선을 부지런히 닦는 것을 보고 따라 기뻐하지 않아서야 되겠는가. 그러면 성현들이 슬프게 생각하시느니라.

저희들이 생각건대, 무시이래로 나고 죽으면서 오늘에 이르도록 이미 한량없는 나쁜 마음으로 남의 선한 일을 방해하였을 것입니다. 왜냐하면, 만일 그런 일이 없었으면 어찌하여 오늘날까지 모든 선한 일을 망설이기만 하고, 선정禪定을 익히지 아니하고 지혜를 닦지 아니하며, 잠깐 동안 예배하고는 큰 고생을 하였다 하고, 잠깐 동안 경을 읽고는 문득 게으른 생각을 내며, 종일토록 분주히 악업을 일으켜 이 몸으로 하여금 해탈을 얻지 못하게 하리오. 마치 누에가 고치를 짓듯이 자승자박하고, 나비가 불에 들어가듯이 밤새도록 타게 되나니, 이런 업장이 무량무변하여 보리심을 장애하고, 보리의 원願을 장애하고, 보리행을 장애하는 것이 모두 악한 마음으로 남의 선한 행을 비방한 탓입니다.

이제야 비로소 깨닫고 부끄러운 마음을 내어 머리를

조아리고 어여삐 여기심을 원하여 이런 죄를 참회하나니, 바라옵건대 여러 부처님과 보살께옵서는 자비하신 마음으로 신력神力을 가피하시어 저희들로 하여금 참회하려는 죄업이 멸하게 하시며, 뉘우치는 허물이 청정케 하시며, 지은 죄와 한량없는 업이 이번의 참회로써 깨끗이 없어지게 하시옵소서.

지금 모든 사람이 다 같이 간절하게 5체투지하여 세간의 대자대비하신 부처님께 귀의하옵니다.

지심귀명례 미륵불 彌勒佛
지심귀명례 석가모니불 釋迦牟尼佛
지심귀명례 선덕불 善德佛
지심귀명례 무우덕불 無憂德佛
지심귀명례 전단덕불 栴檀德佛
지심귀명례 보시불 寶施佛
지심귀명례 무량명불 無量明佛
지심귀명례 화덕불 華德佛

지심귀명례 상덕불 相德佛

지심귀명례 삼승행불 三乘行佛

지심귀명례 광중덕불 廣衆德佛

지심귀명례 명덕불 明德佛

지심귀명례 사자유희보살 師子遊戲菩薩

지심귀명례 사자분신보살 師子奪迅菩薩

지심귀명례 무변신보살 無邊身菩薩

지심귀명례 관세음보살 觀世音菩薩

또 거듭, 시방의 다함없는 모든 3보께 귀의 하나이다. 서로 호궤 합장하옵고 마음으로 생각하고 입으로 사뢰옵니다. 저희들이 시작이 없는 생사로부터 오늘에 이르도록 도를 얻지 못하고 이 업보의 몸을 받았음에 네 가지 일(4사四事: 수행승의 일상생활에 필요한 네 가지 도구로 음식과 의복과 침구와 약품)에서 한 가지도 버리지 못하고, 탐욕과 질투하는 3독이 치성하여 모든 악업을 일으켰사옵니다. 남이 보시하고 계 지키는 것을 보고도 스스로 행하지 못하고 따라서 기뻐하지도 못하며, 남이 인욕하고 정진함을 보고는 스스로 행하지도 못하고 따라서 기뻐하지도 못하며, 남이 좌선하고 지혜를 닦는 것을 보고도 스스로 행하지도 못하고 따라서 기뻐하지도 못하였음에, 이러한 죄가 무량무변한 것을 오늘날 참회하여 없애기를 원하나이다.

또, 비롯함이 없는 예부터 오늘에 이르도록 남이 선한 일을 하여 공덕 닦는 것을 보고도 능히 따라서 기뻐하지 못하고, 행주좌와行住坐臥의 네 가지 위의威儀에 부끄러운 마음은 없고, 교만하고 게을러서 무상함을 생각지 못하며, 이 몸을 버리고는 지옥에 들어갈 줄을 알지 못하오며, 다른 이의 몸에 갖가지 악해를 가해 3보를 건립하고 공양을 이바지함을 장애하였으며, 다른 이가 닦는 모든 공덕을 장애하였사오니, 이러한 죄업이 무량무변함을 오늘날 참회하여 없애기를 원하나이다.

또, 무시이래로 오늘에 이르도록 3보가 귀의할 곳임을 믿지 아니하고, 남의 출가함을 장애하고, 남의 지계함을 장애하고, 남의 보시함을 장애하고, 남의 인욕함을 장애하고, 남의 정진함을 장애하고, 남의 좌선함을 장애하고, 남의 독경함을 장애하고, 남의 경 베끼는 일을 장애하고, 남의 재齋 올리는 일을 장애하고, 남의 불상 조성함을 장애하고, 남의 공양 베푸는 일을 장애하고, 남의 고행하는 일을 장애하고, 남의 도 닦는 일을 장애하였사오며, 내지 다른 이의 조그만 선도 모두 장애하였나이다.

출가하는 것이 멀리 여의는 법인 줄을 믿지 아니하고, 인욕이 안락한 행인 줄을 믿지 아니하고, 평등한 것이 보리의 길임을 알지 못하고, 망상을 여의는 것이 출세하는 마음인 줄을 알지 못하여 나는 곳마다 장애가 많았사오니, 이런 죄장罪障이 무량무변하온 것을 여러 부처님과 모든 보살님께서 다 아시며 다 보시나이다. 부처님과 보살님이 아시고 보시는 바와 같이, 죄장이 많은 것을 오늘 부끄럽게 생각하고 발로 참회하옵나니, 모든 죄의 원인과 괴로운 과보를 소멸하기를 원하나이다.

오늘부터 도량에 앉을 때까지 보살도를 행하여 싫은 생각이 없으며, 재보시財布施와 법보시를 다함이 없이 행함에, 지혜와 방편으로 짓는 일이 헛되지 아니하여 보고 듣는 모든 일이 다 해탈하게 하여 지이다. 서로서로 지극한 마음으로 5체투지하옵나니, 바라옵건대 시방의 여러 부처님과 보살님과 여러 현성께서 자비하신 마음으로 가피하사 여섯 갈래의 모든 중생들이 지금 참회하는 인연으로 모든 고통을 끊어버리고 뒤바뀐 인연을 떠나서 나쁜 소견을 일으키지 말며, 4악취의 업을 버리고 지혜가 생겨서 보살도 행하기를 쉬지 아니하고 수행과 소원이 원만하여 빨리 10지地에 오르고 금강심에 들어가 등정각等正覺을 이루게 하여 지이다.

3. 참회 懺悔

오늘 이 도량의 동업대중이여, 경에 말씀하시기를, '범부는 속박이라 하고, 성인은 해탈이라 한다.' 고 하였으니, 속박은 3업으로 일으킨 악이요, 해탈은 3업이 무애한 선善이니라. 모든 성인들은 여기에 안심하고 지혜와 방편의 무량한 법문으로 중생의 선악의 업을 분명히 알고는 한 몸으로 무량한 몸이 되고, 한 형상으로써 갖가지로 변화하기도 하며, 한 겁을 줄여서 하루를 만들기도 하고, 하루를 늘려서 한 겁을 만들기도 하며, 수명을 정지하여 영원히 멸하지 않게도 하고, 무상을 나타내어 열반을 보이기도 하나니, 신통과 지혜로 출몰이 자재하고, 날아다니기를 성품에 맞게 하여, 공중에서 앉거나 눕기도 하며, 물 위에서 거닐기를 땅과 같이 하여 험난하지 아니하나니, 끝까지 공적한 데에 깃들어 있고 만법을 통달하여 공과 유를 함께 밝히며, 변재辯才를 성취하고 지혜가 걸림이 없느니라.

이러한 법들은 악업으로부터 나는 것이 아니며, 탐심·진심·질투심으로부터 나는 것이 아니며, 어리석은 사견邪見으로부터 나는 것이 아니며, 게으르고 해태함으로부터 나는 것이 아니며, 교만하고 방자함으로부터 나는 것이 아니니라. 오직 삼가고 조심하여 악업을 짓지 아니하고, 부지런히 선업을 행함으로부터 나는 것이니라. 어디서나 모든 선업을 닦고 부처님 말씀을 순종하는 사람으로서 빈궁한 이를 보았는가. 누추한 이를 보았는가. 여러 가지의 고질로 폐인이 된 이와 비천한 데 태어나 여러 사람의 업신여김을 받는 이와 무슨 말을 하거나 남의 신용을 얻지 못하는 이를 보았는가. 이제 이 몸으로 증거하리니, 한 사람이라도 부처님 말씀을 순종하여 여러 가지 공덕을 닦으면서 제 몸을 위하지 않는 이로서 나쁜 과보를 받는 이가 있다면, 차라리 내 몸이 아비지옥에 들어가 가지가지 고통을 받을지언정 이런 사람이 나쁜 과보를 받게 되는 것은 있을 수 없는 일이니라.

오늘, 이 도량의 동업대중이여, 만일 범부를 버리고 성인의 자리에 들어가려거든, 부처님의 가르침대로 행을 닦되 조그만 괴로움 때문에 해태한 생각을 내지 말고, 스스로 노력하여 죄업을 참회할지니라. 경에 말씀하시기를, '죄는 인연으로조차 나고 인연으로조차 멸한다.' 하였느니라. 이미 범부를 면치 못하였으니 가는 데마다 아득함이 많으리라. 스스로 참회하지 않고서야 어떻게 벗어나리오.

오늘날 서로서로 용맹심을 일으켜 발로 참회할지니, 참회하는 힘은 불가사의하니라. 어떻게 아는가. 아사세왕이 대역죄를 지었다가 크게 뉘우치고 참회하여 무거운 죄의 고통을 가볍게 받았느니라. 또, 이 참법은 수행하는 모든 사람으로 하여금 안락을 얻게 하나니, 만일 스스로 수행하되 지성으로 노력하여 머리를 조아리며 참회하고 귀의하여 끝까지 다하면 부처님을 감동시키지 못함이 없으리라.

악업의 과보는 소리의 메아리 같아 어긋나지 않나니, 마땅히 두려운 줄을 알고 끝까지 참회하되 각각 지극한 마음으로 다 같이 간절하게 5체투지하고 마음으로 생각하고 입으로 말하되, '부처님께 애원 하옵나니 어여삐 여기옵소서.' 할지니라.

우리의 고액苦厄을 구해주시고
대자대비로 감싸주시며
깨끗한 광명을 놓아
어리석고 캄캄함을 없애주소서.

나와 여러 사람들
지옥의 괴로움을 받사옵나니
우리들에게 먼저 오시어
안락을 얻게 하소서.

저희들 머리를 조아려
구원해주시는 이에게 예배하오며
세간의 자비하신 부처님께
다 함께 귀의하나이다.

지심귀명례 미륵불 彌勒佛
지심귀명례 석가모니불 釋迦牟尼佛
지심귀명례 금강불괴불 金剛不壞佛

지심귀명례 보광불 寶光佛

지심귀명례 용존왕불 龍尊王佛

지심귀명례 정진군불 精進軍佛

지심귀명례 정진희불 精進喜佛

지심귀명례 보화불 寶火佛

지심귀명례 보월광불 寶月光佛

지심귀명례 현무우불 現無愚佛

지심귀명례 보월불 寶月佛

지심귀명례 무구불 無垢佛

지심귀명례 이구불 離垢佛

지심귀명례 사자번보살 師子幡菩薩

지심귀명례 사자작보살 師子作菩薩

지심귀명례 무변신보살 無邊身菩薩

지심귀명례 관세음보살 觀世音菩薩

또 거듭, 다함없는 모든 3보께 귀의 하옵나니, 바라옵건대 꼭 오시어서 저희 3독의 고통을 가엾게 여기사 안락을 얻게 하시며, 대 열반을 베풀어주시며, 자비하신 물로 더러운 때를 씻어주시어 보리에 이르게 하여 끝까지 청정케 하옵소서. 6도 4생 중에 이런 죄업이 있는 이도 다 같이 청정함을 얻어 아뇩다라삼먁삼보리를 성취하여 구경에 해탈케 하여 지이다.

서로서로 지극한 마음으로 다 같이 간절하게 5체투지하고 마음속으로 생각하며 입으로 말하나이다. 저희들이 무시이래로 오늘에 이르도록 무명에 덮이고 애욕에 얽매이고 성내는 데 속박되어 어리석은 그물에 걸려서 3계에 두루 다니고 6도를 헤매면서 고해에 빠져서 스스로 벗어나지 못하였사오며, 지나간 죄업과 과거의 인연을 알지 못하여 자기의 깨끗한 생활도 파하며 다른 이의 깨끗한 생활도 파하며, 자기의 범행도 파하고 다른 이의 범행도 파하며, 자기의 계행도 파하고 다른 이의 계행도 파한, 이러한 죄업이 무량무변한 것을 오늘 참괴하여 참회하오니 소멸하여 주옵소서. 저희들이 거듭 애민하심을 구하며 참회하나이다.

또, 무시이래로 오늘에 이르도록 몸과 입과 뜻으로 열 가지 나쁜 업을 지었사오니, 몸으로는 살생 · 투도 · 음행이며, 입으로는 망어 · 기어 · 양설 · 악구며, 뜻으로는 탐심 · 진심 · 우치로써 스스로 10악을 행하고, 다른 이로 하여금 10악을 행케 하였으며, 10악을 찬탄하고 10악을 행하는 이를 찬탄하였나이다. 이렇게 1념 동안에 40가지 악업을 지었음에 이러한 죄가 무량무변한 것을 오늘날 참회하오니, 소멸하여 주옵소서. 저희들이 거듭 지성으로 5체투지하나이다.

또, 무시이래로 오늘에 이르도록 6근을 의지하여 6식識을 행하면서 6진塵을 취하옵는데, 눈은 빛을 애착하고, 귀는 소리를 애착하고, 코는 향기를 애착하고, 혀는 맛을 애착하고, 몸은 보드라운 것을 애착하고, 뜻은 법진(法塵: 6진六塵의 하나. 의근意根의 대상인 여러 가지 법. 집착을 일으키는 현상)을 애착하여 여러 가지 업을 지었으며, 내지 8만4천에 달하는 번뇌의 문을 열었사오며, 이러한 죄악이 무량무변한 것을 오늘 참회하오니, 바라옵건대 소멸하여 주옵소서. 저희들이 다시 지성으로 5체투지하나이다.

또, 무시이래로 오늘에 이르도록 몸과 입과 뜻으로 불평등한 일을 하면서 내 몸이 있는 줄만 알고 다른 이의 몸이 있는 줄은 알지 못하며, 나의 고통이 있는 줄만 알고 다른 이의 고통이 있는 줄은 알지 못하며, 나의 안락을 구할 줄만 알고 다른 이도 안락을 구하는 줄은 알지 못하며. 내가 해탈을 구하는 줄만 알고 다른 이가 해탈을 구하는 줄은 알지 못하며, 나의 집과 권속이 있는 줄만 알고 다른 이에게 집과 권속이 있는 줄은 알지 못하며, 한낱 자기 몸의 가렵고 아픈 것은 참기 어려워하면서도 다른 이가 매를 맞아 고통이 심한데도 심하지 않을까 걱정을 하며, 자기 몸의 조그만 고통은 매우 두려워하면서도 악업을 짓고, 지옥에 들어가서 여러 가지 고통을 골고루 받을 것이 무서운 줄을 생각지 아니하며, 내지 아귀와 축생과 아수라와 인간과 하늘의 세계에 여러 가지 고통이 있는 것을 두려워하지 아니하였나이다. 이와 같이 불평등한 연고로 나다 남이다 하는 마음을 일으켜 원수와 친한 이런 생각을 내었음에, 원수가 6도에 두루 하였나이다. 이러한 죄가 무량무변한 것을 오늘날 발로 참회하오며 소멸하여 주시기를 발원하오며, 저희들은 지극한 정성을 다하여 거듭 5체투지하나이다.

또, 무시이래로 오늘에 이르도록 마음이 뒤바뀌고 생각이 뒤바뀌고 소견이 뒤바뀌어 선지식을 여의고 악지식을 친근하며, 8정도를 등지고 8사도邪道를 행하며, 법이 아닌 것을 법이라 말하고, 법을 법이 아니라 말하며, 불선을 선이라 말하고 선을 불선이라 말하면서 교만한 짐대를 세우고 우치한 돛대를 달고서 무명의 이름을 따라 생사의 바다에 들어갔나이다. 이런 죄악이 무량무변한 것을, 오늘날 참회하고 소멸하기를 원하오며, 저희들은 거듭 뼈가 닳도록 5체투지하나이다.

또, 무시이래로 오늘에 이르도록 3불선근(三不善根: 탐심과 진심과 치심의 셋)으로 4전도를 일으키고 5역죄를 지으며, 10악업을 행하여 3독이 치성하고 8고를 키우며, 8한寒·8열熱의 지옥에 갈 원인을 지었고, 8만4천 격자지옥(隔子地獄: 이 지옥은 호리병 모양으로 몸은 크고 입이 작아 지옥의 고통을 받는 중생이 서로 밖으로 빠져나오려 하나 나올 수 없게 되어 있다.)의 일을 지었으며, 모든 축생의 인과 모든 아귀의 인과 인간·천상에서 생로병사할 인을 지었으므로 6도의 무량한 괴로움을 받게 되었으니, 견딜 수도 없고 보고 들을 수도 없나이다. 이러한 죄악이 무량무변한 것을 오늘날 참회하고 소멸하기를 바라오며, 저희들은 뼈가 닳도록 5체투지하옵고 간절히 뉘우치나이다.

또, 무시이래로 오늘에 이르도록 3독의 뿌리로 3유(三有: 색계, 욕계, 무색계의 셋) 중에서 25유(二十五有: 중생이 윤회하는 생사의 세계를 25종으로 나누고 있는데, 욕계에 14, 색계에 7, 무색계에 4가 있다.)로 돌아다니면서 가는 곳마다 죄악을 짓고 업풍業風을 따르면서도 스스로 깨닫지 못하나이다. 다른 이가 계행을 지니고 정과 혜를 닦고 공덕을 짓고 신통을 수행하는 것을 장애하였사오니, 이러한 죄로 보리심을 장애하고 보리원菩提願을 장애하고 보리행을 장애한 것을 오늘날 참회하여 소멸하기를 원하면서 저희들이 거듭 다시 뼈아프게 5체투지하나이다.

또, 무시이래로 오늘에 이르도록 탐욕과 진심으로 6식을 일으키고 6진을 따르면서 많은 죄를 일으켰사온데, 혹은 중생에게 일으키고, 혹은 비非중생에게 일으키고, 혹은 무루無漏의 사람에게 일으키고, 혹은 무루의 법에 대해 일으켰사오니, 이렇게 탐욕과 진심으로 일으킨 죄악을 오늘날 참회하여 소멸하기를 원하나이다.

또, 어리석은 마음으로 전도된 행을 일으키되 삿된 스승을 믿고 삿된 말을 받아서 단멸(斷滅: 이승이나 자기는 한 번 죽으면 끝나 없어지고 다시는 생하지 않는다는 주장. 인과와 윤회를 믿지 않는 소견)에 집착하고, 항상(상·상견常·常見: 단멸에 반대되는 말. 즉 세계와 자아는 영원히 불멸한다고 믿어 집착하는 소견)한데 집착하며, 나를 집착하고, 소견에 집착하여 어리석음을 따라서 행하면서 무량한 죄를 지었사오며, 이러한 인연으로 보리심을 장애하고 보리원을 장애하고 보리행을 장애한 허물을 오늘날 참회하여 멸제하기를 원하와 저희들이 다시 지성으로 5체투지하나이다.

또, 무시이래로 오늘에 이르도록 몸으로 짓는 세 가지 악업과 입으로 짓는 네 가지 악업과 뜻으로 짓는 세 가지 악업으로써 비롯함이 없는 무명과 주지번뇌住地煩惱와 항사恒沙의 상번뇌上煩惱와 지止의 상번뇌와 관觀의 상번뇌와 사주번뇌四住煩惱와 3독과 4취取와 5개蓋와 6애愛와 7루漏와 8구垢와 9결結과 10사使 등의 이러한 모든 번뇌장煩惱障들이 무량무변하여 보리심을 장애하고 보리원을 장애하고 보리행을 장애한 것을, 오늘날 참회하여 멸제하기를 원하면서 저희들이 거듭 지성으로 5체투지하나이다.

또, 무시이래로 오늘에 이르도록 자비심을 닦지 못하고, 희사심喜捨心을 닦지 못하고, 보시 바라밀을 닦지 못하고, 지계 바라밀을 닦지 못하고, 인욕忍辱 바라밀을 닦지 못하고, 정진 바라밀을 닦지 못하고, 선禪 바라밀을 닦지 못하고, 지혜 바라밀을 닦지 못하였사오며, 또 모든 조도법(助道法: 바른 견해를 갖도록 돕는 수행방법)을 닦지 못하였으므로, 방편이 없고 지혜가 없어서 보리심을 장애하고 보리원을 장애하고, 보리행을 장애한 것을 오늘 참회하면서 멸제하기를 원하와 저희들이 다시 간절하게 5체투지하나이다.

또, 무시이래로 오늘에 이르기까지 3계에 윤회하고 6도에 두루 돌아다니면서 4생의 몸을 받되, 남자도 되고 여자도 되고 비남비녀非男非女도 되어 모든 곳에 두루 하여 한량없는 죄를 지을 적에, 혹 큰 중생이 되어 서로 잡아먹고, 혹 작은 중생이 되어 서로 잡아먹으며, 이렇게 살생한 죄가 무량무변하여 보리심을 장애하고 보리원을 장애하고 보리행을 장애한 것들을 오늘날 참회하여 멸제하기 위하여 저희들이 거듭 지성으로 5체투지하나이다.

의식이 있는 후부터 오늘에 이르도록 여섯 갈래(6도六道)로 다니면서 4생의 몸을 받되, 그 중간에서 지은 죄악이 무궁무진하옵니다. 이러한 죄를 시방의 부처님과 대보살들이 모두 아시고 모두 보았을 것이오며, 이렇게 부처님과 보살들이 알고 보시는 많은 죄를 오늘날 지극한 정성으로 머리 조아려 애원하면서 참회하옵나니, 이미 지은 죄는 영원히 소멸되고, 아직 짓지 아니한 죄는 다시 짓지 아니하오리니, 바라옵건대 시방의 부처님께서 대자대비하신 마음으로 저희들의 참회를 받아주시며, 대자대비한 마음으로 저희들의 보리를 장애하는 모든 죄업을 씻어주시어 도량에 이르러 끝까지 청정케 하여 지이다.

또 원컨대, 시방의 모든 부처님의 부사의한 힘과 본래 서원하신 힘과 중생을 제도하시는 힘과 중생을 감싸주시는 힘으로 가피하시어 저희들로 하여금 오늘부터 보리심을 발하게 하시며, 오늘부터 시작하여 도량에 앉을 때까지 끝내 성취하여 다시는 퇴전치 말게 하시며, 저희들의 서원이 모든 보살이 행하는 서원과 같게 하여 지이다.

원하옵건대, 시방의 모든 부처님과 대보살께서 자비하신 마음으로 가피하시고 섭수하시어 저희들로 하여금 소원이 여의하여 보리원을 만족케 하시며, 모든 중생들도 각각 구족하게 보리의 원을 원만히 성취케 하여 지이다.

찬 讚

3보께 귀의하옵고
의심을 끊었으며
뜻과 사정 꺾어버리고
현문玄門에 들어가오니
인과가 분명히 있사오며
참회한 깊은 공덕
여러 부처님 은혜 망극하옵니다.
나무 환희지보살마하살 歡喜地菩薩摩訶薩(3번)

출참 出懺

천상과 인간의 정변지正徧知이시니

광명이 일월보다 밝고
공덕은 허공보다 넓으시네.
가지도 않고 오지도 않으사
은은히 화장세계에 항상 계시며
나지도 않고 멸하지도 않으사
거룩하게 열반성에 앉으시었네.
중생을 응하여 몸을 나타내시고
근기를 따라 나아가시니
치는 대로 종소리 나고
소리 나는 대로 메아리 울리듯,
그지없는 자비를 베푸사
이 불사를 살피옵소서.
이제까지 참회하는 저희들
자비도량참법을 수행하여
제1권이 끝나니
공덕이 화해和諧하여 안으로 원만하고
도량을 차리며 상설象設을 베푸오니
등불이 찬란하고 향기 진동하옵니다.

꽃은 5색이요
과실은 신기하며
범패를 높이 불러 부처님 찬탄하여
염불하고 예배하며
독경하고 주문 외워
지은 바 공덕을 3처에 회향하니
자비하신 3보와 호법하는 제천과
상중하단上中下檀의 신중神衆과
멀리 있고 가까이 있는 영령들
이 정성 살피고 환희한 마음 내어
천상·인간에 은혜 머물고
이승과 저승을 교화하여
이 도량에 가득히 공덕을 내어 지이다.

생각건대
지금 참회하는 저희들이
일생의 죄업을 영원히 소멸하고
모든 업연이 청정하게 되고,

일심으로 깨달아
진여의 이치로 향하고,
한 생에 회광반조廻光返照하여
1승의 도리에 나아가며,
괴로움을 돌려서
낙을 이루고,
치성한 번뇌를 씻어
청량하게 하며,
돌아가신 부모는
결정코 극락세계에 왕생하고,
온 집안의 권속들이
백 년을 향수하오며,
원수와 친한 이가
골고루 은혜를 입고,
범부와 성인이 다 같이
보소寶所에 이르게 하여 지이다.

지금 글대로 참회하오나

오히려
미세한 죄업이 다하지 못할까 두려워
다시 여러분과 함께
참회를 구하나이다.

찬 讚

양황참梁皇懺 1권의 공덕으로
저희들과 망령들의 업장이 소멸되고
보살의 환희지歡喜地를 증득하며,
참문을 외우는 곳에
죄의 꽃이 없어지며,
원결을 풀고 복이 더하여
도리천에 왕생하였다가
용화회상에서 다시 만나
미륵부처님의 수기를 받아 지이다.
나무 용화회보살마하살 龍華會菩薩摩訶薩(3번)

거찬 擧讚

양황참 제1권을 모두 마치고
4은恩 3유有로 회향하오니
참회를 구하는 저희들은
수복이 증장하고
망령들은 정토에 왕생하여지이다.
환희지보살은
어여삐 여기사 거두어주소서.
나무 등운로보살마하살 登雲路菩薩摩訶薩(3번)

자비도량참법

慈悲道場懺法

제2권

4. 발보리심 發菩提心

5. 발원 發願

6. 발회향심 發迴向心

자비도량참법

慈悲道場懺法

제2권

찬 讚

꽃을 받들어

문수 · 보현보살님께 드리오니

모란과 작약 아름답도다.

여러 가지 꽃을

황금 전각에 헌납하오니

피고 지는 금련화,

청의동자靑衣童子가 가지고

미륵보살님께 드리네.

나무 보공양보살마하살 普供養菩薩摩訶薩(3번)

듣사오니,

인공人空과 법공法空을 얻으려거든

복엄(福嚴: 보시들의 복업福業으로 몸을 장엄하는 것)과

혜엄(慧嚴: 지혜로 장엄하는 것)을 증득하며

진제眞諦와 속제俗諦의 이치를 밝혔으니

생사의 허망한 인연 마치었으리.

천룡 8부가 따라다니고

여러 영혼들 도와주도다.

가슴에는 만卍자요,

발바닥에는 꽃무늬,

부처님 공덕을 헤아릴 수 없어

찬양하려 해도 끝이 없나니

본래의 서원 어기지 말고

중생을 두루 이롭도록

백 가지 보배로운 연화대蓮華臺를 펴시고

이 두 때의 불사를 살피옵소서.

지금 참회하는 저희들은

자비도량참법을 건설하옵고

이제 둘째 권의 연기를 당하와
저희들의 3업을 맑히고
6근을 깨끗이 하여
도루바兜樓婆 향을 사르고,
분다리芬陀利 꽃을 흩으며
시방의 성인을 봉청奉請하옵고
모든 부처님 명호를 일컬어 찬탄하며
감로의 샘물을 뿌리며
죄업을 씻으려 하나이다.
생각건대 저희들은
오랜 겁부터 금생에 이르도록
2장障에 얽히어 생사가 계속되고
2공(二空: 나와 법이 공한 것)을 깨닫지 못하여
증애憎愛를 일으키며
두 가지 삿된 소견으로
고락의 길에서 헤매나이다.
무명 한 번 일어남에
음살도망婬殺盜妄이 새록새록 옮아가고

번뇌 날로 더하여

신 · 구 · 의 3업으로

겹겹의 죄를 지었나이다.

오르고 내리는 과보가 두레박 같고

업과業果가 분명하여

악차취(惡叉聚: 도토리 모양의 나무열매. 나무에서 떨어지면 서로 모여 무리진다.) 같나니

지성으로 참법을 닦지 않고야

허물을 어떻게 면하오리까.

그리하여 정성을 다하고

참괴한 마음으로

현재의 복을 도우며

죄업을 면하는 인연을 삼나이다.

저희 소원 이러함에

부처님 어여삐 여기시옵소서.

크신 자비를 앙모하오니

가피를 드리우소서.

부처님 상호 보름달 같으시고

천 개의 해가 빛을 내는 듯
광명이 시방세계에 비치시니
자비희사慈悲喜捨가 모두 구족하옵니다.

입참 入參

자비도량참법을 수행하오며
3세 부처님께 귀의하나이다.

지심귀명례 과거 비바시불 過去毘婆尸佛
지심귀명례 시기불 尸棄佛
지심귀명례 비사부불 毘舍浮佛
지심귀명례 구류손불 拘留孫佛
지심귀명례 구나함모니불 拘那含牟尼佛
지심귀명례 가섭불 迦葉佛
지심귀명례 본사 석가모니불 本師釋迦牟尼佛
지심귀명례 당래 미륵존불 當來彌勒尊佛

4. 발보리심 發菩提心

오늘, 이 도량의 동업대중이여, 서로서로 마음의 때를 씻어버리고 10악의 중죄를 깨끗이 하였음에, 쌓인 악업이 없어지고 겉과 속이 모두 정결하여졌으니, 다음은 보살의 행을 배워 바른 도를 수행하면 공덕과 지혜가 그로부터 생기리라. 그러므로 부처님 말씀에, '발심이 도량이니 일을 마련할 수 있는 연고라.' 하였으니, 바라건대 대중들이여, 각각 뜻을 가다듬어 세월을 허송하면서 번뇌가 다하기를 기다리다가 후회하지 말지니라.

우리들이 오늘날 좋은 때를 만났으니 밤낮으로 정신차려 번뇌가 마음 가리게 하지 말고, 힘써 정진하여 보리심 낼지니라. 보리심은 곧 불심佛心이니 공덕과 지혜가 그지없느니라. 잠깐도 그렇거늘 하물며 오랫동안이리요. 가령 여러 겁 동안 무량한 복을 닦고, 내지 금생에 다른 선을 구족하게 행했더라도 보리심 발한 공덕의 만분의 하나에도 미치지 못하며 산수算數와 비유로도 다하지 못하느니라.

또, 어떤 사람이 복덕만 짓고 보리심을 발하지 아니하였으면, 마치 밭을 갈고도 종자를 심지 않은 것 같나니, 이미 싹이 없는데 어디서 열매를 구하리오. 그런 뜻으로 모름지기 보리심을 발해야 하나니, 인연으로 증명하면 위로 부처님 은혜를 갚고, 아래로 모든 중생을 제도할 것이니라. 그러므로 부처님이 여러 천자天子를 찬탄하기를, '착하고 착하도다. 그대의 말과 같아서 모든 중생을 이익하려면 보리심을 발할 것이니, 이것이 여래에 대한 으뜸가는 공양이니라.' 하였느니라.

보리심은 한 번만 행할 것이 아니고 자주자주 발하여 보리심이 끊이지 않게 해야 하느니라.

그러므로 경에 말하기를, '항하의 모래알과 같이 무수한 부처님께 선한 원을 크게 발한다.' 하였으니, 보리심을 발하는 수효가 무량한 줄을 알 것이니라.

또, 보리심은 선지식을 만날 적마다 발하는 것이며, 부처님이 출세하실 때만 기다릴 것이 아니니라. 마치 문수보살이 처음 보리에 향할 적에 여자로 인하여 처음 지혜를 발함과 같이, 오직 범연하게 마음만 표하는 것이 아니고, 진실로 대승을 앙모하고 불법을 탐구하며 경전을 의지할 것이니, 세상 일로 비유하면 원수와 친한 이가 차별이 없고, 6도가 한 모양이니, 이러한 선으로 인하여 함께 해탈을 얻는 것이니라. 만일 한 가지로 믿고 안다면 부질없는 말이 아닌 줄을 알 것이니라.

오늘, 이 도량의 동업대중이여, 보리심을 발하는 데는 반드시 생각을 일으키되 먼저 친한 이부터 반연할 것이며, 생각을 둘 때에는 자기의 부모와 사장師長과 권속을 생각하고, 또 지옥·아귀·축생을 생각하고, 또 천인과 신선과 선신들을 생각하고, 또 인간 세계의 모든 사람들을 생각하되, 고통 받는 이가 있으면 어떻게 구원할고 할 것이며, 보고는 생각을 일으켜 이러한 마음을 발해야 하나니, 오직 큰 마음이 있고서야 저들의 괴로움을 구제하리라. 만일 한 생각이 생기면, 또 두 생각을 짓고, 두 생각을 짓고는 세 생각을 지으며, 세 생각이 이루어졌으면 한 방 가득하게 생각하고, 한 방 가득하였으면 한 유순에 가득하고, 한 유순에 가득하고는 남섬부주에 가득하고, 남섬부주에 가득하고는 다른 3천하天下까지 가득하며, 이와 같이 점점 넓어져서 시방세계에 가득할 것이며, 동방 세계의 중생을 보고는 아버지라 생각하고, 서방 세계의 중생을 보고는 어머니라 생각하고, 남방의 중생을 보고는 형이라 생각하고, 북방의 중생을 보고는 동생이라 생각하고, 하방의 중생은 누이라 생각하고, 상방의 중생을 보고는 스승이라 생각하며, 그 외의 네 간방間方의 중생은 사문이요 바라문이라 생각할지니라. 그리고는 생각하기를, 만일 고통을 받거든 나라는 생각을 하고, 그 사람에게 가서 몸을 주무르며 안마하여 그의 괴로움을 구제할 것이며, 그가 괴로움에서 벗어나면 그에게 설법하되, 부처님을 찬탄하고 법을 찬탄하고 보살들을 찬탄할 것이며, 찬탄하고는 환희한 마음을 내며, 그가 낙을 받는 것을 보거든 내가 받는 것과 같이 생각할 것이니라.

오늘, 이 도량의 동업대중이여, 보리심을 발하였거든 이와 같이 괴로움을 버리지 말고 중생을 제도할지니, 우리들이 다 같이 간절한 마음으로 5체투지하고 마음으로 생각하며 입으로 말하되, '저희들이 오늘부터 도량에 이를 때까지 그 중간에 나는 곳마다 항상 선지식을 만나서 보리심을 발하고, 3악도에 나거나 8난(八難: 부처님을 볼 수도 없고 법을 듣지도 못하는 경계에 여덟 가지가 있다.)에 있더라도 항상 보리심을 발할 것을 생각하여 보리심이 끊이지 않으리라.' 라고 서원을 지을 것이니라.

오늘 이 도량의 동업대중은 항상 용맹한 마음과 은근한 마음을 일으켜 보리심을 발하여 다 같이 간절하게 5체투지하고 세간의 대자대비하신 부처님께 귀의할지니라.

지심귀명례 미륵불 彌勒佛
지심귀명례 석가모니불 釋迦牟尼佛
지심귀명례 용시불 勇施佛
지심귀명례 청정불 淸淨佛

지심귀명례 청정시불 淸淨施佛

지심귀명례 사류나불 娑留那佛

지심귀명례 수천불 水天佛

지심귀명례 견덕불 堅德佛

지심귀명례 전단공덕불 栴檀功德佛

지심귀명례 무량국광불 無量掬光佛

지심귀명례 광덕불 光德佛

지심귀명례 무우덕불 無憂德佛

지심귀명례 나라연불 那羅延佛

지심귀명례 공덕화불 功德華佛

지심귀명례 견용정진보살 堅勇精進菩薩

지심귀명례 금강혜보살 金剛慧菩薩

지심귀명례 무변신보살 無邊身菩薩

지심귀명례 관세음보살 觀世音菩薩

또 거듭, 시방의 한없는 모든 3보께 귀의 하옵나이다. 저희들이 지금 시방의 일체 3보전에 보리심을 발하옵나니, 오늘부터 도량에 이르도록 보살의 도를 행하여 퇴전하지 않겠사오며, 항상 중생을 제도하려는 마음을 짓고, 항상 중생을 안립하려는 마음을 짓고, 항상 중생을 보호하려는 마음을 짓되, 중생이 부처를 이루지 못하면 서원코 먼저 정각을 취하지 않겠나이다. 원컨대 시방의 모든 부처님과 여러 대보살과 모든 성현께서는 저희를 위하여 증명하사 저희들로 하여금 모든 행원行願이 다 성취케 하여 지이다.

오늘, 이 도량의 동업대중이여, 설사 여러 겁 동안 여러 가지 선업을 짓더라도 인천의 과보는 얻을지언정 출세간出世間의 참된 과보는 얻지 못하고, 목숨을 마치고 복이 다하면 도로 나쁜 갈래에 떨어져서 몸이 다하도록 고통을 면치 못할 것이며, 큰 서원을 세우며 광대한 마음을 발하지 않으면 온갖 복으로 장엄하여도 모든 고뇌를 여의지 못할 것이니라.

오늘날 서로서로 한결같은 마음과 한결같은 뜻으로 부처님을 생각하고 견고한 마음을 일으켜 보리심을 발하면 발심한 공덕을 헤아릴 수 없을 것이며, 부처님과 보살들도 다 말할 수 없을 것이며, 이러한 선근은 헤아릴 수 없나니, 어찌 지극한 정성으로 힘을 다하지 아니하리오.

대집경에 말하기를, '백 년 동안 캄캄했던 방이라도 한 등불로 밝힐 수 있나니, 그러므로 잠깐 동안의 발심發心을 가벼이 여겨 노력을 게을리 하지 말라.' 하였다. 우리 서로 호궤 합장하고 일심으로 시방의 모든 3보를 반연하고 마음으로 생각하고 입으로 말하되, '저희가 지금 시방의 모든 부처님과 시방의 모든 법보와 시방의 모든 보살과 시방의 모든 성현 앞에 곧은 마음과 바른 생각으로 은근히 발심하되, 방일하지 않는 마음과 편안히 머무르는 마음과 선을 좋아하는 마음과 모든 중생을 제도하려는 마음과 모든 중생을 보호하려는 마음과 부처님과 평등한 마음을 일으키고 보리심을 발하나이다.' 할지니라.

저희들이 오늘부터 도량에 앉을 때까지 인천人天에 마음을 집착하지 않으며, 성문의 마음을 일으키지 않으며,

벽지불의 마음도 일으키지 않고, 오직 대승의 마음과 부처님의 지혜를 구하는 마음과 아뇩다라삼먁삼보리를 성취하려는 마음을 발하오리니, 원하옵건대 시방의 한없는 모든 부처님과 모든 대보살과 일체 성인께서는 본원력으로 저희를 위하여 증명하시며, 자비력으로 가피하여 섭수하사, 저희들로 하여금 오늘 발심하고는 세세생생에 견고하여 물러나지 않게 하소서. 만일 3악도에 떨어지거나 8난에 떨어져 3계 중에서 갖가지 몸으로 고통을 받으며 견디기 어렵고 참기 어렵더라도 괴로움을 받지 않을 수 없을 것임에, 오늘 세운 큰 마음을 잃지 않겠사오며, 차라리 무간지옥에 들어가고 불구덩이에 들어가서 갖가지 고통을 받더라도 고통을 받는다고 해서 오늘 세운 마음을 잃지 않겠사오니, 이 마음과 이 서원을 부처님의 마음과 같고 부처님의 서원과 같게 하옵소서.

또 거듭, 지성으로 3보께 정례 하옵나니, 저희들이 오늘부터 성불할 때까지 모든 법을 버리지 아니하고, 모든 법이 공한 줄을 알아서 시방의 모든 중생을 제도하겠나이다. 서로서로 지극한 정성으로 다 같이 간절하게 5체투지 하고 마음으로 생각하며 입으로 말하나이다. 저희들은 내 몸을 위하여 위없는 보리를 구하지 아니하고 일체중생을 제도하기 위하여 위없는 보리를 얻겠나이다. 오늘부터 성불할 때까지 서원코 무량무변한 모든 중생을 책임지고 대자비심을 일으키게 하겠사오며, 미래의 중생에게 3악도의 중죄와 6취聚의 액난이 있거든 그 미래가 다하기까지 저희들이 모든 고통을 피하지 않고 몸으로 구호하여 안락한 곳을 얻게 하겠사오니, 시방의 한없이 많은 모든 부처님은 굽어 살피시옵소서.

지심귀명례 미륵불 彌勒佛
지심귀명례 석가모니불 釋迦牟尼佛
지심귀명례 연화광유희신통불 蓮華光遊戲神通佛
지심귀명례 재공덕불 財功德佛
지심귀명례 덕념불 德念佛
지심귀명례 선명칭공덕불 善名稱功德佛
지심귀명례 홍염제당왕불 紅談帝幢王佛

지심귀명례 선유보공덕불 善遊步功德佛

지심귀명례 보화유보불 寶華遊步佛

지심귀명례 보련화선주사라수왕불 寶蓮華善住沙羅樹王佛

지심귀명례 투전승불 鬪戰勝佛

지심귀명례 선유보불 善遊步佛

지심귀명례 주잡장엄공덕불 周匝莊嚴功德佛

지심귀명례 기음개보살 棄陰蓋菩薩

지심귀명례 적근보살 寂根菩薩

지심귀명례 무변신보살 無邊身菩薩

지심귀명례 관세음보살 觀世音菩薩

바라옵건대, 대자비의 힘으로 저희를 위하여 증명하시되 저희들로 하여금 오늘부터 보리심을 발하고 보살도를 행하여 나는 곳마다 구족하게 성취하며, 가는 곳마다 모든 것을 해탈케 하소서. 거듭 지성으로 5체투지하옵고 시방의 모든 3보께 정례하나이다. 저희들이 자신을 위하여 위없는 깨달음을 구하지 아니하고, 시방의 일체중생을 제도하기 위하여 위없는 깨달음을 얻으려 하나이다.

오늘부터 성불할 때까지 어떤 중생이 어리석고 캄캄하여 정법을 알지 못하고, 여러 가지 다른 소견을 일으키는 이가 있거나, 또 어떤 중생이 비록 도를 닦으나 법상(法相: 모든 사물의 있는 그대로의 모습. 또는 모든 법의 본성.)을 알지 못하는 이가 있으면, 이런 중생에게는 무한한 미래가 다하도록 저희들이 부처님 힘과 법보의 힘과 성현의 힘과 갖가지 방편으로써 이 중생들을 지도하여 부처님의 지혜에 들어가서 일체종지一切種智를 성취케 하겠나이다. 서로서로 지극한 정성으로 다 같이 간절하게 5체투지하고 시방의 무한한 모든 부처님께 귀의하나이다.

지심귀명례 미륵불 彌勒佛

지심귀명례 석가모니불 釋迦牟尼佛

지심귀명례 보광불 普光佛

지심귀명례 보명불 普明佛

지심귀명례 보정불 普淨佛

지심귀명례 다마라발전단향불 多摩羅跋栴檀香佛

지심귀명례 전단광불 栴檀光佛

지심귀명례 마니당불 摩尼幢佛

지심귀명례 환희장마니보적불 歡喜藏摩尼寶積佛

지심귀명례 일체세간낙견상대정진불
一切世間樂見上大精進佛

지심귀명례 마니당등광불 摩尼幢燈光佛

지심귀명례 혜거조불 慧炬照佛

지심귀명례 해덕광명불 海德光明佛

지심귀명례 금강뇌강보산금광불 金剛牢强普散金光佛

지심귀명례 대강정진용맹불 大强精進勇猛佛

지심귀명례 대비광불 大悲光佛

지심귀명례 자력왕불 慈力王佛

지심귀명례 자장불 慈藏佛

지심귀명례 혜상보살 慧上菩薩

지심귀명례 상불리세보살 常不離世菩薩

지심귀명례 무변신보살 無邊身菩薩

지심귀명례 관세음보살 觀世音菩薩

바라옵건대, 여러 부처님과 대보살께서 대자대비하신

힘과 큰 지혜의 힘과, 부사의한 힘과, 한없이 자재한 힘과, 4마를 항복받는 힘과, 5개蓋를 끊는 힘과, 번뇌를 멸하는 힘과, 한량없이 업진(業塵: 악업은 몸을 더럽히므로 업진이라 함)을 청정케 하는 힘과, 한량없이 관지(觀智: 선정禪定에서 나온 지혜)를 개발하는 힘과, 한량없이 무루혜(無漏慧: 번뇌로 더럽혀지지 않는 진실한 지혜)를 개발하는 힘과, 무량무변한 신통력과 한량없이 중생을 제도하는 힘과, 한량없이 중생을 보호하는 힘과, 한량없이 중생을 편안케 하는 힘과, 한량없이 고뇌를 끊어버리는 힘과, 한량없이 지옥을 해탈하는 힘과, 한량없이 아귀를 제도하는 힘과, 한량없이 축생을 구제하는 힘과, 한량없이 아수라를 교화하는 힘과, 한량없이 인간을 섭수하는 힘과, 한량없이 천상과 신선의 번뇌를 없애는 힘과, 10지地를 구족하게 장엄하는 힘과, 정토를 구족하게 장엄하는 힘과, 도량을 구족하게 장엄하는 힘과, 깨달음의 공덕을 구족하게 장엄하는 힘과, 깨달음의 지혜를 구족하게 장엄하는 힘과, 법신을 구족하게 장엄하는 힘과, 위없는 깨달음을 구족하게 장엄하는 힘과, 대열반을 구족하게 장엄하는 힘과, 무량 무진한 공덕력과, 무량 무진한 지혜력으로 가피하소서. 원컨대 시방의 무한한 모든 부처님과 모든 대보살이시여, 이렇게 무량무변하게 자재하고 부사의한 힘으로써 본래의 소원을 어기지 마시고 모두 베풀어주시어, 시방세계의 모든 4생 6도의 중생과 오늘 함께 발심하는 이로 하여금 모든 공덕력을 구족히 성취케 하시며, 깨달음을 얻으려는 원력을 구족히 성취케 하시며, 깨달음에 이르기 위한 실천의 힘을 구족하게 성취케 하여 지이다.

오늘날 시방에 숨어있거나, 드러나거나, 원수거나, 친한 이나, 원수도 아니고 친하지도 않은 이나, 4생 6도의 인연 있는 이와 인연 없는 이의 모든 중생들을 미래제가 다하도록 이 참법으로써 영원히 청정하게 하며, 나는 곳마다 소원을 성취케 하여 한결같이 견고하여 마음이 퇴전하지 않게 하며, 여래와 함께 정각을 이루게 하오며, 내지 후세의 모든 중생으로서 소원이 다른 이까지도 다 이 대원해大願海에 들어와서 공덕과 지혜를 구족히 성취케 하며, 여러 보살과 함께 10지행을 원만히 성취하고 부처님의 지혜를 구족하여 위없는 깨달음을 장엄하고 구경에 가서는 해탈케 하여 지이다.

5. 발원 發願

오늘, 이 도량의 동업대중이여, 모두 다 대보리심을 발하고 환희용약하오며, 다시 또 큰 서원을 발하기 위하여 다 같이 간절하게 5체투지하옵고 세간世間의 대자대비하신 부처님께 귀의할지어다.

지심귀명례 미륵불 彌勒佛
지심귀명례 석가모니불 釋迦牟尼佛
지심귀명례 전단굴장엄승불 栴檀窟莊嚴勝佛
지심귀명례 현선수불 賢善首佛
지심귀명례 선의불 善意佛
지심귀명례 광장엄왕불 廣莊嚴王佛
지심귀명례 금강화불 金剛華佛

지심귀명례 보개조공자재력왕불 寶蓋照空自在力王佛

지심귀명례 허공보화광불 虛空寶華光佛

지심귀명례 유리장엄왕불 瑠璃莊嚴王佛

지심귀명례 보현색신광불 普現色身光佛

지심귀명례 부동지광불 不動智光佛

지심귀명례 항복제마왕불 降伏諸魔王佛

지심귀명례 재광명불 才光明佛

지심귀명례 지혜승불 智慧勝佛

지심귀명례 미륵선광불 彌勒仙光佛

지심귀명례 약왕보살 藥王菩薩

지심귀명례 약상보살 藥上菩薩

지심귀명례 무변신보살 無邊身菩薩

지심귀명례 관세음보살 觀世音菩薩

바라옵나니, 부사의한 힘으로 가피하시고 보호하시어 저희들이 세운 서원을 모두 성취케 하시오며, 나는 곳마다 항상 잊지 말고 위없는 깨달음을 끝까지 얻어 정각을 성취케 하여 지이다.

저희들이 오늘부터 세세생생에 나는 곳마다 항상 보리심 발한 것을 기억하여 보리심이 상속하여 끊어지지 않게 하여 지이다. 저희들이 오늘부터 세세생생에 나는 곳마다 항상 무량무변하신 모든 부처님을 받들고 공양하려 하오니, 모든 공양거리가 만족하여지이다. 저희들이 오늘부터 세세생생에 나는 곳마다 항상 대승방등경大乘方等經을 호지하올 적에 모든 공양거리가 만족하여지이다. 저희들이 오늘부터 세세생생에 나는 곳마다 항상 시방의 무량무변하신 모든 보살을 만나올 적에 공양거리가 만족하여지이다. 저희들이 오늘부터 세세생생에 나는 곳마다 항상 시방의 무량무변한 모든 현성을 만나올 적에 모든 공양거리가 만족하여지이다.

저희들이 오늘부터 세세생생에 나는 곳마다 항상 깊은 은혜를 보답하올 적에 이바지할 것이 뜻과 같이 만족하여지이다. 저희 제자들이 오늘부터 세세생생에 나는 곳마다 항상 화상과 아사리를 만나올 적에 공양할 것이 뜻과 같이 만족하여지이다. 저희들이 오늘부터 세세생생에 나는 곳마다 항상 국력이 강대한 나라를 만나서 나라와 더불어 3보를 흥성케 하여 끊이지 않게 하여 지이다. 저희들이 오늘부터 세세생생에 나는 곳마다 항상 불국토를 장엄하여 3도 8난이란 말까지 없게 하여 지이다. 저희들이 오늘부터 세세생생에 나는 곳마다 불법을 자재하게 설하는 지혜와 6신통이 항상 앞에 나타나서 잃어버리지 않게 하여 모든 중생들을 교화하여지이다. 서로서로 지극한 마음으로 다 같이 간절하게 5체투지하고 세간의 대자대비하신 부처님께 귀의하나이다.

지심귀명례 미륵불 彌勒佛
지심귀명례 석가모니불 釋迦牟尼佛
지심귀명례 세정광불 世淨光佛
지심귀명례 선적월음묘존지왕불 善寂月音妙尊智王佛
지심귀명례 용종상존왕불 龍種上尊王佛
지심귀명례 일월광불 日月光佛
지심귀명례 일월주광불 日月珠光佛
지심귀명례 혜번승왕불 慧旛勝王佛
지심귀명례 사자후자재력왕불 獅子吼自在力王佛

지심귀명례 묘음승불 妙音勝佛

지심귀명례 상광당불 常光幢佛

지심귀명례 관세등불 觀世燈佛

지심귀명례 혜위등왕불 慧威燈王佛

지심귀명례 법승왕불 法勝王佛

지심귀명례 수미광불 須彌光佛

지심귀명례 수만나화광불 須曼那華光佛

지심귀명례 우담바라화수승왕불 優曇鉢羅華殊勝王佛

지심귀명례 대혜력왕불 大慧力王佛

지심귀명례 아촉비환희광불 阿閦毘歡喜光佛

지심귀명례 무량음성왕불 無量音聲王佛

지심귀명례 산해혜자재통왕불 山海慧自在通王佛

지심귀명례 대통광불 大通光佛

지심귀명례 재광불 才光佛

지심귀명례 금해광불 金海光佛

지심귀명례 일체법상만왕불 一切法常滿王佛

지심귀명례 대세지보살 大勢至菩薩

지심귀명례 보현보살 普賢菩薩

지심귀명례 무변신보살 無邊身菩薩

지심귀명례 관세음보살 觀世音菩薩

또 거듭, 시방의 한없는 모든 3보께 귀의하옵나이다. 여러 부처님과 여러 대보살과 일체 현성의 대자비력을 받자와 저희들이 세운 서원이 나는 곳마다 마음대로 자재케 하여 지이다. 오늘부터 세세생생에 저희들이 나는 곳마다 어떤 중생이 나의 몸을 보면 곧 해탈을 얻으며, 만일 지옥에 들어가면 모든 지옥이 극락세계로 변하고, 모든 괴로움은 즐거움으로 변하여, 중생들로 하여금 6근이 청정하고 몸과 마음이 안락하여 3선천(三禪天: 수행에 의하여 욕계欲界의 미혹迷惑을 넘어 태어나는 색계色界의 셋째 하늘. 이곳은 ①평등하고 ②항상 불법을 생각하고 ③지혜로우며 ④즐겁고 ⑤한 마음이다.)과 같으며, 모든 의심을 끊고 번뇌가 없어 지이다. 오늘부터 세세생생에 저희들이 나는 곳마다 어떤 중생이든지 나의 음성만 들어도 마음이 편안하여 죄업을 소멸하고 다라니를 얻으며, 해탈 삼매로 무생법인(無生法忍: 진리를 깨달은 평안함. 또는 진여眞如의 깨달음.)을 구족하며, 큰 변재를 얻어 법운지(法雲地: 보살의 계위 중 가장 높은 10지地)에 올라서 정각을 이루어지이다. 오늘부터 세세생생에 저희들이 나는 곳마다 모든 중생들이 나의 이름만 들어도 모두 환희하여 미증유를 얻으며, 3악도에 가게 되면 모든 고통을 끊어버리고, 천상이나 인간에 나게 되면 번뇌가 끊어져 가는 곳마다 자재하여 해탈하여지이다. 저희들은 오늘부터 세세생생에 나는 곳마다 모든 중생을 대하여 주는 마음과 빼앗는 마음이 없고, 원수라는 생각과 친하다는 생각이 없으며, 3독을 끊어버리고, 나다 내 것이다 하는 생각이 없으며, 큰 법을 믿어 평등하게 자비를 행하며, 일체가 화합하여 거룩한 대중과 같아 지이다. 저희들은 오늘부터 세세생생에 나는 곳마다 모든 중생을 대해 마음이 항상 평등하여 허공과 같으며, 헐뜯고 칭찬하는 데 흔들리지 아니하고, 원수와 친한 이가 한 모양이며, 깊고 넓은 마음에 들어가서 부처님의 지혜를 배우며, 중생을 보되 라후라와 같이 하며, 10주(十住: 보살이 수행하는 52의 단계 중 11부터 20위까지. 진실한 공의 도리에 마음이 안주하는 경지)의 업을 만족하여 외아들 같은 지위를 얻으며, 유와 무를 떠나서 항상 중도를 행하여지이다. 서로서로 지극한 마음으로 다 같이 간절하게 5체투지하여 세간의 대자대비하신 부처님께 귀의하나이다.

지심귀명례 미륵불 彌勒佛
지심귀명례 석가모니불 釋迦牟尼佛
지심귀명례 보해불 寶海佛
지심귀명례 보영불 寶英佛
지심귀명례 보성불 寶成佛
지심귀명례 보광불 寶光佛
지심귀명례 보당번불 寶幢幡佛
지심귀명례 보광명불 寶光明佛
지심귀명례 아촉불 阿閦佛
지심귀명례 대광명불 大光明佛
지심귀명례 무량음불 無量音佛
지심귀명례 대명칭불 大名稱佛
지심귀명례 득대안은불 得大安隱佛

지심귀명례 정음성불 正音聲佛

지심귀명례 무한정불 無限淨佛

지심귀명례 월음불 月音佛

지심귀명례 무한명칭불 無限名稱佛

지심귀명례 일월광명불 日月光明佛

지심귀명례 무구광불 無垢光佛

지심귀명례 정광불 淨光佛

지심귀명례 금강장보살 金剛藏菩薩

지심귀명례 허공장보살 虛空藏菩薩

지심귀명례 무변신보살 無邊身菩薩

지심귀명례 관세음보살 觀世音菩薩

또 거듭, 시방의 무한한 모든 3보께 귀의하옵나이다. 원컨대 저희들이 참회하고 발원하는 공덕의 인연으로 4생 6도들이 오늘부터 보리를 이룰 때까지 보살도를 행하는 데 고달픔이 없으며, 재물의 보시와 법의 보시에 다함이 없으며, 지혜와 방편으로 짓는 일이 헛되지 않고, 근기를 따르고 병에 맞추어 법과 약을 베풀며, 보고 듣는 모든 이들이 함께 해탈을 얻어 지이다.

저희들은 또 원하나이다. 오늘부터 보리에 이르도록 보살도를 행하되 망설임이 없고, 이르는 곳마다 큰 불사를 지으며 도량을 건립하되, 마음이 자재하고 법에 자재하며, 모든 삼매에 모두 들어가고, 다라니의 문을 열어 불도 수행의 결과를 나타내 보이며, 법운지法雲地에 있으면서 감로를 비 내리어 중생들의 네 가지 마원(馬原: ①번뇌 ②괴로움을 낳는 오온五蘊 ③죽음 ④선행을 막는 것 등 이 네 가지는 수행의 원수임)을 소멸하고 청정한 법신의 과보를 얻게 하여 지이다.

저희들이 오늘날 세운 여러 가지 서원이 시방 세계의 큰 보살들이 세운 서원과 같으며, 시방 세계 여러 부처님이 수행하실 때 세우신 대원과 같아서, 광대하기 법의 성품과 같고, 구경究竟이 허공과 같아 지이다. 저희들이 세운 소원을 성취하여 보리원을 만족하며, 모든 중생들도 다 따라서 세운 서원을 성취하기를 원하오니, 시방의 모든 부처님과 일체 존법과 일체 보살과 일체 현성께서 자비하신 힘으로 저희를 위하여 증명하옵소서. 또 원컨대 모든 하늘, 모든 신선, 모든 선신, 모든 용신들도 3보를 옹호하는 자비와 선근의 힘으로 증명하여 저희들의 모든 행원이 뜻대로 이루어지이다.

6. 발회향심 發廻向心

오늘, 이 도량의 동업대중이여, 이미 보리심을 발하고, 이미 큰 서원을 발하였으니 다시 회향심을 발할 것이며, 서로 지극한 정성으로 다 같이 간절하게 5체투지하고 세간의 대자대비하신 부처님께 귀의할지어다.

지심귀명례 미륵불 彌勒佛
지심귀명례 석가모니불 釋迦牟尼佛
지심귀명례 일광불 日光佛
지심귀명례 무량보불 無量寶佛
지심귀명례 연화최존불 蓮華最尊佛
지심귀명례 신존불 身尊佛
지심귀명례 금광불 金光佛

지심귀명례 범자재왕불 梵自在王佛

지심귀명례 금광명불 金光明佛

지심귀명례 금해불 金海佛

지심귀명례 용자재왕불 龍自在王佛

지심귀명례 수왕불 樹王佛

지심귀명례 일체화향자재왕불 一切華香自在王佛

지심귀명례 용맹집지뇌장기사전투불
勇猛執持牢仗棄捨戰鬪佛

지심귀명례 내풍주광불 內豊珠光佛

지심귀명례 무량향광명불 無量香光明佛

지심귀명례 문수사리보살 文殊師利菩薩

지심귀명례 묘음보살 妙音菩薩

지심귀명례 무변신보살 無邊身菩薩

지심귀명례 관세음보살 觀世音菩薩

또 거듭, 시방의 무한한 모든 3보께 귀의 하옵나니, 바라옵건대 자비하신 힘으로 저희를 위하여 증명하소서. 저희들이 소원하는 것은 과거에 일으킨 모든 선업과, 현재에 일으키는 모든 선업과 미래에 일으킬 모든 선업이 많거나 적거나 가볍거나 무겁거나 간에 그 모두를 4생 6도의 모든 중생에게 베풀어, 그 중생들이 모두 보리심을 얻게 하여 2승에도 회향하지 않고, 3유에도 회향하지 않고, 다 무상보리에 회향하게 하는 것이오며, 또 일체중생이 일으킨 선업에서 과거와 현재와 미래의 것을 각각 회향하되, 2승에 회향하지도 않고, 3유에도 회향하지 않고, 다 무상보리에 회향하게 하옵소서.

오늘, 이 도량의 동업대중이 서로 보리심을 발하였고, 대서원을 발하였고 회향심을 발하였사오니, 광대하기는 법의 성품과 같고, 구경은 허공과 같도록 과거 · 현재 · 미래의 모든 부처님과 모든 큰 보살과 모든 현성께서 다 증명하시옵소서. 다시 지성으로 3보께 정례하옵니다. 저희들이 발심하고 발원하는 일을 마치옵고 환희용약하오며, 다시 지극한 마음으로 5체투지하옵고, 국가원수와 부모와 스승과 여러 겁 동안에 만난 친척과 모든 권속과 선지식과 악지식과 하늘과 신선과 호세 4천왕과 선을 표

창하고 악을 벌주는 이와 경과 주문을 수호하는 이와 5방의 용왕과 용신 8부와 모든 천신과 지신과 과거 · 현재 · 미래의 원수와 친한 이와 원수도 친하지도 않은 이와 4생 6취의 일체중생을 위해 세간의 대자대비하신 부처님께 귀의하나이다.

지심귀명례 미륵불 彌勒佛
지심귀명례 석가모니불 釋迦牟尼佛
지심귀명례 사자향불 師子響佛
지심귀명례 대강정진용력불 大强精進勇力佛
지심귀명례 과거견주불 過去堅住佛
지심귀명례 고음왕불 鼓音王佛
지심귀명례 일월영불 日月英佛
지심귀명례 초출중화불 超出衆華佛
지심귀명례 세등명불 世燈明佛
지심귀명례 휴다이녕불 休多易寧佛
지심귀명례 보륜불 寶輪佛
지심귀명례 상멸도불 常滅度佛

지심귀명례 정각불 淨覺佛

지심귀명례 무량보화명불 無量寶華明佛

지심귀명례 수미보불 須彌步佛

지심귀명례 보련화불 寶連華佛

지심귀명례 일체중보보집불 一切衆寶普集佛

지심귀명례 법륜중보보집풍영불 法輪衆寶普集豐盈佛

지심귀명례 수왕풍장불 樹王豊長佛

지심귀명례 위요특존덕정불 圍繞特尊德淨佛

지심귀명례 무구광불 無垢光佛

지심귀명례 일광불 日光佛

지심귀명례 과거 무수겁 제불대사 해덕여래
過去無數劫諸佛大師海德如來

지심귀명례 무량무변 진허공계 무생법신보살
無量無邊盡虛空界無生法身菩薩

지심귀명례 무량무변 진허공계 무루색신보살
無量無邊盡虛空界無漏色身菩薩

지심귀명례 무량무변 진허공계 발심보살
無量無邊盡虛空界發心菩薩

지심귀명례 흥정법마명대사보살 興正法馬鳴大師菩薩

지심귀명례 흥상법용수대사보살 興象法龍樹大師菩薩

지심귀명례 시방 진허공계 무변신보살
十方盡虛空界無邊身菩薩

지심귀명례 시방 진허공계 구고관세음보살
十方盡虛空界救苦觀世音菩薩

찬불축원 讚佛祝願

대성이신 세존이시여,

거룩하시나이다.

신통과 지혜 통달하시어

성인들 중에 왕이시며,

형상이 6도에 두루 하시며

당체가 시방에 널리셨으니

정상에는 육계가 있고

목에는 일광이 나셨네.

얼굴이 보름달 같으사

훌륭한 금으로 장엄하시고
위의는 빼어나시며
행동이 정중하시니,

위엄이 대천세계에 진동하여
모든 마군이 치를 떠나이다.
3달지(三達智: 과거와 현재와 미래를 다 아는 지혜)를
환히 통하니 삿된 무리들 종적을 감추며

악을 보고는 반드시 구求하시니
괴로움에서 건지시어 양식이 되고
저 언덕에 이르기 위해
배를 저으시네.

그러므로 여래 · 응공 · 정변지 · 명행족 · 선서 · 세간해 · 무상사 · 조어장부 · 천인사 · 불세존이라 하시나니, 한량없는 중생을 제도하여 생사의 고해에서 구출하시나이다.

이렇게 발심한 공덕의 인연으로 바라옵건대 국가의 원수元帥와 문무백관들이 오늘부터 이 도량에 이르도록 하시고, 몸을 잊고 불법 위하기를 상제常啼보살 같이 하고, 대자비로 죄업을 멸하기를 허공장보살과 같이 하고, 멀리서 법을 듣기를 유리광보살과 같이 하고, 법난法難을 해결하기를 무구장無垢藏보살과 같이 하게 하여 지이다.

또 원컨대, 저희들을 낳아준 부모와 여러 겁 동안에 만난 친척들도 오늘부터 도량에 이르도록 하시고, 형상을 허공에 흩기를 무변신보살과 같이 하고, 열 가지 공덕이 구족하기를 고귀덕왕보살과 같이 하고, 법문 듣고 환희하기를 무외보살과 같이 하고, 신통력과 용맹은 대세지보살과 같게 하여 지이다.

또, 저희들의 화상과 아사리와 동학의 권속과 상·중·하좌의 모든 도반이 오늘부터 도량에 이르도록 하시어 무외無畏를 얻기는 사자왕과 같고, 메아리같이 교화하기는 보적보살과 같고, 음성을 듣고 고통에서 건지기는 관세음보살과 같고, 법문 묻기는 대가섭과 같게 하여 지이다.

또, 원하오니 재가나 출가한 믿음 깊은 신도와 선지식 악지식과 모든 권속들도 오늘부터 이 도량에 이르게 하시어 액난을 구하기는 구탈救脫보살과 같이 하고, 용모가 단정하기는 문수보살과 같고, 업장을 버리기는 기음개棄陰蓋보살과 같고, 최후의 공양 베풀기는 순타와 같게 하여 지이다.

또 원컨대, 하늘들과 신선들과 호세 4천왕과 총명하고 정직한 천지 허공과 선한 일을 상주고 악한 일을 벌주는 이와 주문을 수호하는 이와 5방 용왕과 용신 8부와 깊은 곳에 숨은 귀신과 드러난 귀신과 그들의 권속들이 오늘부터 도량에 이르게 하시어 큰 자비로 감싸주기를 미륵보살과 같이 하고, 정진으로 법을 보호하기는 불휴식佛休息보살과 같이 하고, 멀리서 경 읽는 일을 증명하기는 보현보살과 같이 하고, 법을 위하여 분신焚身하기는 약왕보살과 같이 하도록 하여 지이다.

또 원컨대, 시방의 모든 원수와 친한 이와, 원수도 친하지도 않은 이와 4생 6도의 모든 중생과 그 권속들이 오늘부터 도량에 이르게 하시어 마음에 애착이 없기는 이의녀離意女와 같고, 미묘하게 설법하기는 승만부인과 같고, 정진을 잘하기는 석가모니 부처님과 같고, 훌륭한 서원 세우기는 무량수 부처님과 같고, 위신을 갖추기는 여러 천왕과 같고, 불가사의하기는 유마힐과 같아서 일체공덕을 각각 성취하고, 무량 불토를 모두 장엄하게 하여 지이다.

바라옵건대 시방의 다함없는 무량무변한 부처님과 대보살과 일체 현성께서는 자비하신 마음으로 가피하여 섭수하시고 구호하여 거두어주시며, 소원이 원만하고 신심이 견고하고 덕업이 날마다 만족하며, 4생을 양육하기를 외아들 같이 하여 모든 중생이 4무량심과 열 가지 선정을 얻어 3원(三願: 보살이 중생을 위해 세우는 세 가지 원. ①진리를 깨닫게 하고 ②싫어함이 없이 가르침을 설하고 ③목숨을 던져 바른 가르침을 지키려는 서원)이 널리 가피하고, 생각을 따라 부처님 뵈옵기를 승만부인과 같아서, 모든 행원을 끝까지 성취하여 여래와 함께 정각에 오르게 하여 지이다.

찬 讚

보리심이 열리고
지혜가 거듭 빛나서
생각은 생각마다 이루어져
시방에 가득하며
필경에 사량 분별思量分別 없어지고
5체투지하여
부처님께 회향하나이다.
나무 이구지보살마하살 離垢地菩薩摩訶薩(3번)

출참 出懺

만 가지 덕으로 장엄하신 몸,
도솔천에서 떠나지 않고 정반왕궁에 내리시며,
온갖 복으로 상호를 이루신 어진 이,
보리수에서 일어나지 않고 도리천에 오르시었네.

바라옵건대 부처님께서는 자비로 굽어 살피사
고해에서 헤매는 무리를 건져주시고
법안法眼이 원만하여
간절한 저희들의 소원 이루어주소서.

이제까지 참회하는 저희들
자비도량참법을 수행하며
제2권이 끝나니
공덕이 점점 완비하오며,
단내壇內의 청정한 대중
참회에 나고 들면서
법답게 도를 행하고
향을 사르고 꽃을 흩어
경을 외우고 주문을 지니나이다.
제2권의 공덕으로
두 때의 회향을 짓사오니
일진법계(一眞法界: 유일하고 절대하여 구경의 진리)의 불타와 달마와 승가와

3계 중의 천선天仙과 지신과 수부水府들
모두 환희한 마음으로
이 지극한 정성 살피시며,
외아들처럼 어여삐 여기시어
복덕과 지혜 원만케 하옵소서.

지은 공덕으로 지금 참회하는 저희들
3업을 깨끗이 씻고 복과 지혜 증장하오며,
사참事懺과 이참理懺으로 죄업 소멸하고,
인공과 법공法空으로 청정하며,
뒤바뀐 마음 머물지 않고,
선정과 지혜로 장엄하며,
불이법문不二法門에 들어가
항상 참된 이치를 증득하며,
4은과 3유와 법계의 원친冤親들이
아공我空과 법공을 얻고
무생법인을 증득하며,
지혜가 원명하고 원행이 원만하여

법해에서 자유자재하고,

살바야의 과지果地에서 항상 즐겁게 하여 지이다.

비록 글대로 참회하나

오히려

정성을 다하지 못할까 두려워

청정한 대중과 함께

거듭 참회를 구하나이다.

찬 讚

양황참 2권의 공덕으로

저희들과 망령들의 두 말한 죄가 소멸되고

보살의 이구지(離垢地: 중생계의 더러운 경계에 있으면서도 번뇌를 떠난 경지. 보살 10지 중 둘째 과위)를 증득하며,

참문讖文을 외우는 곳에

죄의 꽃이 달아나 없어지고,

원결寃結을 풀고 복이 더하여

도리천에 왕생하였다가
용화회상에서 다시 만나
미륵 부처님의 수기를 받게 하여 지이다.
나무 용화회보살마하살 龍華會菩薩摩訶薩(3번)

거찬 擧讚

양황참 제2권 모두 마치고
4은恩 3유有에 회향하오니
참회를 구하는 저희들의
수복이 증장하고
망령들은 정토에 왕생하여지이다.
이구지보살은
어여삐 여기사 거두어주소서.
나무 등운로보살마하살 登雲路菩薩摩訶薩(3번)